Jean-Pierre JEANCOLAS

HISTOIRE
DU CINÉMA
FRANÇAIS

Ouvrage publié sous la direction de
Michel Marie

NATHAN

jeu, à l'été 1939, dont l'échec public était tel que Renoir lui-même l'avait mutilé dans un mouvement de panique avant que la censure (militarisée) ne l'interdise. Sans parler de *L'Hirondelle et La Mésange*, l'admirable film d'André Antoine qu'un accès de mauvaise humeur de Charles Pathé en 1920 a condamné à croupir dans des boîtes de fer jusqu'en 1982.

Cinq millions d'entrées font d'un film un succès commercial, dix millions d'entrées en font un événement qui a sa place dans une histoire socio-économique du cinéma. Un «bide» tonitruant ne fait pas d'un film un échec artistique. Il importe de ne pas mélanger les rôles.

4. L'air du temps, enfin, est au déclin, à l'agonie ou à la mort du cinéma. Le septième art n'aurait été que l'art d'un siècle. Un millénarisme fortement médiatisé conjugue la déploration sur l'état présent de la création avec une lecture commémorative ou nécrologique d'un passé survalorisé. On porte en terre cinq fois par an le dernier monstre sacré, l'ultime témoin de l'âge d'or. Les chroniqueurs n'ont pas assez d'adjectifs, pas assez d'emphase pour peindre une histoire d'invention épanouie, de brillants et de paillettes, de talents reconnus et de spectateurs heureux.

L'historien a un regard plus mesuré. La production du cinéma en ses temps classiques (entendons par là le temps où les films étaient consommés exclusivement dans les salles de cinéma) était hétéroclite. Chaque saison fournissait son lot de denrées communes, de films qui étaient à l'art cinématographique ce que la littérature de gare est à la Bibliothèque de la Pléiade. Ces films destinés à la consommation immédiate peuvent avec le temps avoir acquis un charme discret, lié au goût contemporain pour le kitsch ou à la présence à l'écran de comédiens familiers, ils peuvent présenter un intérêt au second degré pour l'historien des mentalités, ils n'en sont pas pour autant des moments de l'histoire du septième art. En réalité, la production française d'une année est comparable à un iceberg : les «chefs-d'œuvre» (les films justiciables du panthéon évoqué plus haut), les films sur lesquels s'accordent les théoriciens, esthètes et historiens qui, de colloques en congrès, tentent d'affiner les lignes de crête, en seraient la partie émergée. Le reste, sous l'eau, serait la bibliothèque de gare…

Affinons. Les historiens du cinéma français — en particulier les historiens étrangers, anglo-saxons et italiens, pour qui le réalisme poétique demeure l'aune à laquelle ils s'obstinent à mesurer le cinéma hexagonal — s'accordent pour considérer que l'avant-guerre (les années qui précèdent la Seconde Guerre mondiale) a été une période faste. C'est juste. Mais les grands films du temps du Front populaire, devenus des classiques universels, poussaient sur un terreau épais de «fernandelleries» et de mauvais théâtre filmé. En 1936, la France produit cent seize films, dont une demi-douzaine seulement peuvent être célébrés comme des monuments (et dans cette demi-douzaine figure, sans doute au premier rang, la *Partie de campagne* de Renoir qui n'a été montré au public que dix ans plus tard). En 1937, sept ou huit chefs-d'œuvre dominent une production de cent onze films. En 1938, ils sont six ou sept sur cent vingt-deux… Plus tard, les années à chefs-d'œuvre du cinéma français, 1943 ou 1959, ne modifient pas sensiblement la proportion. En 1943, un cinéma français presque autarcique produit quatre-vingt-deux films, dont huit sont remarquables (d'Autant-Lara, de Becker, Bresson, Clouzot, Grémillon notamment). En 1959, l'année de la Nouvelle Vague, sur cent trente-trois films, dix sont incontournables (dont ceux de Chabrol, Godard, Resnais, Rouch, Truffaut et toujours Bresson).

Même dilué dans un cinéma européen qui cherche ses limites et ses images, même lié pour le meilleur et pour le pire à la télévision qui à la fois le finance et le dessèche, le cinéma français des années quatre-vingt-dix ne démérite pas : il aligne régulièrement une douzaine de films de premier plan chaque année, dont beaucoup sont l'œuvre de cinéastes jeunes. Si le cinéma français est menacé (il l'est), c'est plus affaire de logistique que de créativité.

5. Mode d'emploi. Les pages qui suivent tentent de rendre compte d'un siècle de cinéma français. Il a été quinze ans le premier cinéma mondial, il est depuis quatre-vingts ans un des cinq plus importants. Nous avons choisi, pour la clarté du propos, un découpage en bandes horizontales. Démarche nécessaire pour un ouvrage historique, qui présente pourtant un inconvénient majeur : le tronçonnage des filmographies, des œuvres complètes de grands auteurs qui s'inscrivent dans le paysage comme des colonnes, plus ou moins sensibles à l'air du temps. Il a été nécessaire de segmenter, au mépris de la cohérence des auteurs (de la politique des auteurs) la démarche créatrice d'un Renoir, d'un Bresson, d'un Resnais.

À qui souhaitera reconstituer la continuité (nécessairement sommaire dans les dimensions d'un ouvrage de ce type) d'une œuvre, le recours à l'index analytique devrait permettre de retracer le cheminement de ceux qui ont fait le cinéma français.

Cet ouvrage reprend et développe le texte d'une plaquette rédigée en 1991 et diffusée hors commerce à l'initiative du Groupement national des cinémas de recherche.

LE TEMPS DU MUET. 1896-1929

L'histoire dont il est question ici est celle du «cinéma spectacle» qui s'est rapidement constitué en septième art. Indubitablement, cette histoire commence le soir du 28 décembre 1895. Ce jour-là, les premiers spectateurs ont payé un franc un ticket d'entrée pour s'asseoir face à un écran blanc. Cela se passe au «Salon indien», dans les sous-sols du Grand Café, boulevard des Capucines à Paris. L'appareil de projection a été dessiné et breveté par les frères Lumière, industriels à Lyon, et c'est l'un d'entre eux, Louis, qui a «tourné» les premières bandes, dont chacune dure une cinquantaine de secondes. Dix «films», que les Lumière appellent des *vues*, sont projetés ce soir-là, le premier étant *La Sortie des usines Lumière à Lyon*.

L'invention d'un procédé permettant la prise de vues et la projection d'images animées était, dans cette dernière décennie du XIXe siècle, «dans l'air du temps». Des recherches parallèles étaient en cours en Angleterre, en Allemagne, et surtout aux États-Unis avec Edison et Dickson — Edison a apporté beaucoup en mettant au point le film, support souple large de 35 millimètres, en nitrate de cellulose, entraîné par une roue dentée grâce à une double rangée de perforations, cela dès 1889 —, mais ce sont bien les Lumière qui ont constitué les premiers le cinéma en spectacle populaire de masse.

C'est en peu de mois qu'en 1896, en France, autour de l'outil mis au point par les frères Lumière, quelques hommes en définissent les usages possibles, et par là-même orientent d'une manière durable ce que sera le cinéma de tout un siècle.

1. LES FRÈRES LUMIÈRE

Auguste et Louis Lumière, les frères lyonnais, souhaitent rentabiliser au plus vite la machine dans laquelle ils n'ont qu'une confiance relative (on connaît la célèbre phrase attribuée à Louis Lumière le jour où il a engagé un de ces jeunes gens dont il fera les premiers opérateurs professionnels, Félix Mesguich : «Ce n'est pas une situation d'avenir que nous vous offrons, c'est plutôt un métier de forain, cela peut durer six mois, une année peut-être, peut-être moins...»).

Au cours du premier semestre de 1896, le Cinématographe Lumière — «The Lumière Brothers Cinematograph» comme disent les affiches du Keith's Music Hall de New York le 18 juin — est présenté avec un immense succès dans les principales capitales européennes et dans nombre de grandes villes du monde. Pour alimenter ces projections, qui se multi-plient aussi dans les villes et les foires françaises, les Lumière forment et envoient dans le monde entier des opérateurs (outre Mesguich, les plus notoires ont été Promio, Moisson, Doublier, Veyre, Sestier). De leurs voyages souvent aventureux, ils rapportent les «vues» qui se constituent en catalogue : les «listes» éditées par la firme (1424 titres dans le catalogue imprimé en 1907) ne représenteraient qu'un tiers de la production totale.

Le nom de Lumière est, à juste titre, attaché à un certain type de cinéma qui sera qualifié plus tard de *documentaire*. Louis Lumière est le premier cinéaste du réel, qu'il sait organiser avec un sens aigu de l'image, du cadre, de l'éclairage, du mouvement et de la tension à l'intérieur d'un plan unique. Très tôt, les opérateurs maison tournent des *vues panora-miques* : installée sur un bateau ou sur un wagon, la caméra se déplace, anticipant le travelling. Pourtant, la firme lyonnaise a aussi produit et diffusé des films de fiction, comédies à gags (le célèbre *Arroseur arrosé*, un des dix films du 28 décembre) ou reconstitutions historiques — ces dernières après 1897, pour faire face à la concurrence de Méliès et de Pathé. Après 1898, la production Lumière diminue, elle s'interrompt défi-nitivement vers 1905.

2. Georges Méliès

Georges Méliès, à la différence des Lumière, est d'abord un professionnel du spectacle. Issu d'une famille d'industriels cossus, il avait acheté un petit théâtre sur les boulevards — qui étaient alors le centre de la vie mondaine à Paris — et y donnait des spectacles d'*illusions* : prestidigitation, féérie et merveilleux, qu'il épiçait, dit-on, de ses «espiègleries». En décembre 1895, il avait été un des premiers spectateurs des films du Salon indien et avait proposé à Antoine Lumière (le père des inventeurs) de lui acheter un appareil pour dix mille francs. Refus des Lumière. Méliès s'est alors procuré à Londres un appareil concurrent, qu'il a bricolé et rebaptisé *Kinétograph*. Le 10 juin 1896, il tourne son premier film dans le jardin familial de Montreuil. Une imitation de film Lumière. Sitôt tirés, ses films sont projetés dans son Théâtre Robert Houdin où ils remplacent progressivement les séances de prestidigitation. Méliès crée une société de production, la Star Film, et dans l'hiver 1896 fait construire son premier studio. Il en fera construire un second en 1908. Il y tournera entre six cents et huit cents films, quelques vues documentaires, des actualités reconstituées, des films historiques (une *Jeanne d'Arc* en douze tableaux produite en 1900) et quantité de fantaisies, de fééries, de diableries pétillantes qui assureront son succès. Il travaille généralement dans des décors peints sur toile, mais il lui arrive aussi de sortir sa caméra en plein air. Il emploie des acteurs familiers et prend un plaisir visible à paraître en personne devant la caméra. Ses films sont exploités en noir et blanc et en couleur — la pellicule est alors coloriée à la main, dès 1897, dans des ateliers où travaillent plusieurs dizaines d'ouvrières. L'activité de la Star Film est telle qu'en 1902, Georges Méliès envoie son frère Gaston aux États-Unis : la succursale américaine de la firme est créée en 1903. C'est dans ces années que l'art de Méliès — le «magicien de Montreuil» — atteint son apogée (*Le Voyage dans la lune* en 1902). Mais il évolue peu et, après 1905, le public se lasse. La production de la Star Film cesse en 1912.

3. CHARLES PATHÉ

Charles Pathé, enfin, est l'homme qui le premier fait du cinéma une industrie. Après avoir exercé divers petits métiers et tenté vainement de faire fortune en Argentine, il exploite sur les champs de foire de Seine-et-Marne un phonographe Edison (ses clients paient dix, puis vingt centimes pour entendre un air à la mode) quand il découvre, en 1896, le cinématographe. Il s'associe avec un ingénieur, Henri Joly, pour fabriquer des appareils permettant d'enregistrer et de projeter des films, qu'ils baptisent l'*Eknétographe* Pathé. Dès 1896, il crée la première société Pathé-Frères. Pour alimenter les machines qu'il vend, il trouve une solution qu'il résume dans ses mémoires : «Je me procurai quelques films Edison et, sans y voir de malice, je les duplicatai (*sic*).» La société, au capital de 40 000 francs, s'oriente à la fois vers le son et vers l'image, le phonographe et le cinéma. Pour ce qui est du cinéma, Pathé installe ses premiers ateliers à Vincennes, rue du Polygone.

Les affaires marchent bien : Pathé est contacté par un financier, Grivolas, qui représente un groupe puissant dirigé par l'industriel Jean Neyret, lui-même soutenu par plusieurs banques dont, déjà, le Crédit lyonnais. Ils créent une nouvelle société Pathé-Frères au capital cette fois d'un million de francs, qui est constituée le 28 décembre 1897. La date est-elle délibérément symbolique ? C'est seulement deux ans jour pour jour après la première séance du Grand Café, que le cinéma entre dans le champ de la grande finance : il a été, chronologiquement, une industrie bien avant d'être reconnu comme un art.

En 1901, Charles Pathé achète, rue des Vignerons à Vincennes, un vaste terrain où il édifie sa première «usine». Une seconde suivra à Joinville, entre 1902 et 1904. Il s'agit de produire massivement de la pellicule positive impressionnée — la pellicule vierge est importée des États-Unis. Ces films sont vendus au mètre, en noir et blanc ou coloriés, à des forains qui sont les premiers vecteurs d'un média qui touche alors exclusivement le public populaire. Entre 1902 et 1904, Pathé ouvre ses premières succursales à l'étranger : Berlin, Vienne, Milan, Londres, New York surtout d'où la filiale Pathé Exchange rayonne sur toute l'Amérique du Nord. Dès 1897, des opérateurs vincennois tournent des scènes d'actualités et des saynètes comiques ou grivoises sur un plateau sommaire de la rue du Polygone. En 1902, Charles Pathé construit un grand «théâtre de poses» (studio), à quelques dizaines de mètres du premier, rue du Bois. Un troisième suit à Montreuil deux ans plus tard, tout proche de celui de Méliès.

En 1900, Charles Pathé a engagé comme directeur artistique, Ferdinand Zecca (un ancien acteur de café-concert), qui règne avec autorité sur une foule d'opérateurs, d'acteurs, de décorateurs et d'ouvriers, de régisseurs enfin — ni la notion d'auteur, ni celle de metteur en scène, n'étaient alors définies.

La firme Pathé qui, en 1903, prend pour emblème un fier coq gaulois, produit soixante-dix films en 1901, trois cent cinquante en 1902, plus de cinq cents en 1903. Dix films par semaine ! Les principaux collaborateurs de Zecca, Georges Hatot, Lucien Nonguet, dirigent les tournages, mais n'en sont pas crédités. C'est en 1905 que Zecca engage un fringant jeune homme qui tentait laborieusement de se faire un nom au théâtre, Max Linder.

Charles Pathé

«J'ai toujours su ce que je voulais et j'ai toujours voulu ce qui était le plus facilement réalisable et le plus avantageux pratiquement. Je n'ai pas inventé le cinéma, mais je l'ai industrialisé. Avant "Pathé-Frères", le cinéma offrait surtout et n'offrait guère que l'intérêt d'un problème résolu. Avec nous, il était appelé à devenir une activité formidable, intéressant à son sort des centaines de millions d'êtres humains et brassant des milliards de francs par année.

On m'a reproché d'avoir des "idées vagues" sur le cinéma. C'est en 1901 qu'avec mon ancien collaborateur qui est resté mon ami, M. François Dussaud, j'ai établi cette espèce de principe : **Le cinéma sera le théâtre, le journal et l'école de demain.** Qu'on m'accuse d'ambition exagérée, si l'on veut, mais je pense être à l'abri du grief d'imprécision.

J'étais si fortement convaincu de l'avenir du cinéma et j'avais sur son développement des idées si bien arrêtées qu'une fois associé avec mon frère Émile et grâce à ses modestes apports, ma première besogne fut de nous donner du corps et de l'espace, afin d'aller de l'avant avec une énergie accrue.»

De Pathé-Frères à Pathé-Cinéma, 1940, Réédition SERDOC, Lyon, 1970.

---

4. PRÉHISTOIRE

Il est évidemment schématique de résumer les premières années du cinéma français aux trois noms de Lumière, Méliès et Pathé. D'autres chercheurs, d'autres firmes et un nombre considérable de bricoleurs tentent de se faire une place au soleil, souvent en vain. Ce n'est pas le cas de **Léon Gaumont**. En 1895, il dirige le Comptoir général de photographie et se passionne pour la recherche de techniques nouvelles, armé d'une solide formation d'ingénieur. En 1896, il lance sur le marché un appareil de cinéma, le *Chronophotographe*, mis au point par un autre pionnier, Georges Demenÿ. Il semble acquis que c'est dès le printemps 1897 que la firme Léon Gaumont et Cie a produit ses premiers films aux Buttes-Chaumont, dans le XIX\ :sup:`e` arrondissement de Paris. Très tôt (dès 1896, dit-elle, mais il est probable qu'elle «vieillit» ses souvenirs de quelques années), la propre secrétaire de Léon Gaumont prend la responsabilité de diriger de nombreux tournages, dont celui de *La Fée aux choux*. Quelle qu'en soit la date, il est incontestable qu'**Alice Guy** (elle avait vingt-cinq ans en 1898) est la première cinéaste professionnelle au monde. L'activité des ateliers de la rue des Alouettes, agrandis sous le nom de cité Elgé (L.G., pour Léon Gaumont) s'amplifie et fait une place croissante au cinéma. En 1906, l'entreprise augmente son capital et prend une nouvelle raison sociale : c'est la Société des Établissements Gaumont (SEG), qui produit quelque cent soixante-quinze films cette année-là. La plupart, comme ceux de la Pathé contemporaine, ne sont pas attribués à un auteur particulier. En 1906, les metteurs en scène les plus en vue chez Gaumont sont Roméo Bosetti, Victorin Jasset et Louis Feuillade qui, le 1\ :sup:`er` Janvier 1907, y prend les fonctions de «Chef des services des théâtres et de la prise de vue».

À quoi ressemblent ces films «préhistoriques» du cinéma français ? On s'en fait une idée de plus en plus précise au rythme de la parution des catalogues des grandes firmes et des monographies sur leur activité, souvent en relation avec le centenaire du cinéma, et du travail de classification et de restauration en cours dans les archives du monde entier. Les films sont courts, de 25 à 120 mètres pour les productions courantes, jusqu'à 250 mètres pour les «superproductions» en six ou huit tableaux. Les indications sont données en mètres, à la fois parce que le prix de vente était calculé au métrage et parce qu'aucune durée n'était vraiment prévisible : elle dépendait de la régularité du projectionniste qui «tournait» à la manivelle. Des témoignages assurent que le même film était plus court le soir qu'en matinée, car le projectionniste, pressé sans doute de rentrer se coucher, accélérait le rythme de la marche militaire qu'il chantonnait pour assurer la cadence de ses mouvements.

On peut risquer une typologie sommaire des bandes qui faisaient les délices d'un public peu difficile. D'abord des «vues» dans la tradition des Lumière : innombrables rues et places de Paris, bords de mer et sites touristiques, paysages plus ou moins honnêtement exotiques agrémentés de danses ou de fantasias rapportées par des opérateurs globe-trotters. S'y rattachent des manifestations officielles (avec une affection particulière pour les têtes couronnées : on voit beaucoup de souverains britanniques ou de tsars parcourant gravement le tapis rouge qui joint un palais à un carrosse) et des scènes militaires filmées lors d'un défilé ou sur un champ de manœuvres : la cavalerie, alors l'arme d'élite de toutes les armées européennes, était spectaculaire. On peut rapprocher de ces vues des films courts popularisant le mouvement d'une danseuse, d'une vedette de café-concert ou d'un acteur de théâtre. Lors de l'Exposition universelle de 1900, on avait filmé (et souvent enregistré, en tentant par divers procédés de synchroniser l'image et le son) les gloires des scènes parisiennes.

Le public était également friand d'actualités reconstituées. Dès l'automne 1899, Méliès avait mis sur le marché une *Affaire Dreyfus* en onze épisodes, et Pathé en proposait une autre en huit tableaux. Toutes les firmes ont tourné, entre les terrains vagues de Montreuil, le bois de Vincennes et les abords des Buttes-Chaumont, des épisodes de la guerre de Cuba en 1898, puis de la guerre des Boers. On a filmé aussi, toujours à Vincennes, des épisodes de la guerre russo-japonaise et de la révolution russe de 1905 — dont une *Révolution en Russie* de Lucien Nonguet qui racontait, vingt ans avant Eisenstein, la révolte des marins du Potemkine...

Caractéristiques aussi de ce cinéma des premiers temps, les scènes bibliques et religieuses. Même l'éphémère producteur Pirou, spécialisé dans le film grivois, a fait tourner une *Passion* (du Christ) en sept tableaux, à l'initiative d'un honorable jésuite. Il y eut une *Vie du Christ* chez Gaumont, «en onze tableaux inédits inspirés d'après les tableaux des grands maîtres», probablement mise en scène par Alice Guy, et chez Pathé une *Vie et passion du Christ*, vendue au choix en neuf tableaux (170 mètres, 350 francs) ou en seize tableaux (335 mètres, 680 francs). Le sujet, inépuisable, sera souvent repris jusqu'à la guerre.

Il y a surtout les innombrables scènes comiques qui, après 1905, sont souvent des poursuites (une, puis deux, puis trois, puis dix personnes courent après un voleur, un animal, un enfant turbulent, un vélo volé ou... une perruque arrachée par le vent). Nous avons déjà évoqué les scènes grivoises (le catalogue Pathé précisait dès 1904 : «Scènes grivoises d'un caractère piquant») généralement fondées sur la mécanique (fort chaste) d'un déshabillage dont un cache pouvait suggérer qu'il était filmé à travers un trou de serrure.

En 1902 enfin apparaissent chez Pathé les «scènes dramatiques et réalistes» dont le prototype pourrait être *Les Victimes de l'alcoolisme* (Ferdinand Zecca). Le «réalisme» est tout de convention : tournage en studio de tableaux évoquant le monde ouvrier et ses lieux de vie, tavernes plus souvent qu'ateliers, traités en toiles peintes. L'intention est d'abord moralisatrice.

La typologie des films nous aide à comprendre les publics qui étaient visés : ce cinéma était consommé surtout par des urbains, peu fortunés, peu cultivés, que le hasard réunissait un jour de promenade ou de foire — ceux-là même que l'on retrouve engagés dans les poursuites de 1905 ou 1906 : des enfants, des bonnes d'enfants et des militaires, des concierges et des ramoneurs, des artisans identifiables à leurs attributs spécifiques, vitriers, pâtissiers ou livreurs (d'objets pondéreux, genre piano ou armoire normande...), sergents (policiers) embarrassés dans leur pélerine.

Le cinéma de 1905 est rarement consommé dans des salles spécialisées. On montre des films, parmi d'autres attractions, dans les cafés-concerts, dans des brasseries, et surtout dans des espaces mobiles que des forains promènent de ville en ville, de foire en foire. Il y a les forains «haut de gamme» — tel Jérôme Dulaar qui, dès 1898, promène dans les villes du Sud-Est son Théâtre Mondain (35 mètres de long, 15 de large,

120 fauteuils, des banquettes de velours rouge et des bancs de bois) —
qui achètent directement les films chez Méliès, Pathé ou Gaumont. Et des
forains plus modestes qui rachètent ces films d'occasion et les montrent
dans les bourgs et les foires de moindre importance. Enfin des forains
pauvres, souvent des gitans, qui achèvent d'user des copies épuisées,
souvent remontées et recollées, sous des tentes rudimentaires, voire en
plein air. Certaines copies antérieures à 1914 seront retrouvées, encore en
exploitation, au début des années quarante.

5. L'APOGÉE DU CINÉMA FRANÇAIS. 1908-1913

Les années 1907 et 1908 marquent le premier tournant dans l'histoire du
cinéma français. En août 1907, c'est le «coup d'état» de Charles Pathé,
qui annonce que c'en est fini du film vendu au mètre. Désormais, les
films seront loués aux exploitants par l'intermédiaire de sociétés conces-
sionnaires. Cette mesure prend acte de la sédentarisation progressive des
lieux de projection (le 1er décembre 1906, Pathé en personne avait inau-
guré une salle luxueuse sur les boulevards, l'Omnia-Pathé), et elle définit
une structure qui est encore aujourd'hui celle de la «profession» cinématographique, en plaçant le distributeur entre le producteur et l'exploitant :
c'est Pathé qui a inventé (aussi) la trinité qui préside au marché du
cinéma.

Quelques mois plus tard, en février 1908, l'homme d'affaires Paul
Lafitte crée la Société du Film d'Art, appuyé par quelques académiciens
et des acteurs de la Comédie-Française. Le but explicite est de produire
des films dignes d'un public cultivé, familier du répertoire classique. Le
Film d'Art fait construire un studio à Neuilly (il est significatif qu'il
tourne le dos à la banlieue plébéienne de Méliès et de Pathé pour prendre
ses aises dans les beaux quartiers) et, en mai 1908, André Calmettes et
Charles Le Bargy «de la Comédie-Française» tournent *L'Assassinat du
duc de Guise*. Scénario de Henri Lavedan «de l'Académie française»,
musique d'accompagnement de Camille Saint-Saëns. Le film sort en
novembre, avec trois autres productions de la firme. C'est un triomphe

dont la presse rend compte. Admiré par les beaux esprits, reconnu par des cinéastes majeurs (par Griffith aux États-Unis), il s'inscrit pourtant dans le droit-fil des mises en scène de Méliès (prise de vue frontale, décors peints, construction en tableaux). L'empreinte du théâtre demeure, mais tout y est plus soigné, plus riche, et on sent dans le travail des acteurs une volonté d'individualiser, voire d'intérioriser les personnages. L'initiative de Lafitte a provoqué la réaction immédiate de Charles Pathé qui crée dès juin 1908 la SCAGL (Société cinématographique des auteurs et gens de lettres, c'est tout un programme…) dont les ambitions sont voisines. La SCAGL, dirigée par Pierre Decourcelle, s'installe dans un studio tout neuf édifié à Joinville.

L'expression «Film d'Art» est restée pour désigner une nouvelle manière de conjuguer le cinéma — que les films soient produits par la firme de Lafitte, par la SCAGL, par d'autres concurrents en France (l'ACAD, Association cinématographique des auteurs dramatiques, créée à Epinay dans les marges de l'Éclair), puis en Italie et aux États-Unis où il eut une influence considérable. Le Film d'Art eut le mérite d'élargir (par le haut) le public du cinéma, de donner au cinématographe la respectabilité, premier stade de sa reconnaissance comme un art.

Revenons à 1908. Pathé prospère et crée hors de France des filiales destinées à produire des films locaux, et non plus seulement à diffuser des films «*made in* Vincennes» : à Rome, Moscou (la Pathé-Rouss), Vienne, Budapest, Londres et naturellement aux États-Unis. Des agences sont ouvertes dans le monde entier, en Chine, à Calcutta ou à Singapour. En 1908 toujours, Pathé lance le *Pathé-Faits-Divers*, qui deviendra vite le *Pathé-Journal*, les premières actualités (réelles cette fois) hebdomadaires. Enfin, en 1909 et 1910, il construit à Vincennes le chaînon qui manquait à l'énorme outil industriel qu'il forgeait d'une manière à la fois patiente et peu cohérente en juxtaposant des filiales autour d'un noyau central : une usine de pellicule vierge qui le libère de la tutelle des Américains. À l'ombre de Pathé, Gaumont est également en expansion et internationalise son activité. Des firmes nouvelles apparaissent : Éclipse (studios à Boulogne), Lux, rapidement absorbée par Pathé, et surtout Éclair à Épinay.

Vers 1910, l'hégémonie du cinéma français sur les marchés mondiaux, et surtout sur le riche marché américain, est flagrante. Georges Sadoul estimait que 60 à 70 % des films vendus dans le monde sortaient des studios parisiens, Pathé se taillant la part du lion. En 1908, Pathé vendait aux États-Unis deux fois plus de films que toutes les firmes américaines réunies.

C'est dans ces années d'une prospérité qui se découvrira vite fragile (de l'autre côté de l'Atlantique, le cinéma américain, soutenu par les banques de la côte Est, monte en puissance et s'apprête à investir la Californie) qu'on prend conscience de la création cinématographique, de l'individualisation des œuvres, donc de l'existence d'auteurs. De la production de masse (et quelle masse : plusieurs milliers de films) se dégagent des petits maîtres et d'authentiques artistes.

C'est d'abord **«l'âge d'or» du cinéma comique**. Chez Pathé, il y a André Deed qui, sous le nom d'écran de Boireau, a été la vedette de dizaines de bandes tournées avec un certain soin. Boireau s'expatrie en Italie, où il deviendra Cretinetti. Il fera ensuite une seconde carrière à Vincennes.

Il y a ensuite **Max Linder**, dont le personnage de mondain catastrophique, souvent ivre mais toujours digne (pantalon rayé, haut de forme et canne à pommeau), se constitue autour de 1910. Le comique de Boireau était encore un jeu de grimaces et de culbutes. Linder crée un type, introduit une humanité dans un comique de situation de plus en plus élaboré. Linder est la première grande vedette mondiale du septième art, dont les déplacements dans les grandes capitales européennes mobilisent des foules énormes qui assiègent ses hôtels pour voir «Max» en chair et en os. Chez Gaumont, un autre atelier comique s'épanouit sous la direction de **Jean Durand** (il a débuté chez Pathé, puis a travaillé un temps à la Lux pour qui il a dirigé notamment des westerns tournés en Camargue ou dans les Alpilles avec Joë Hamman). À la cité Elgé, il réunit une troupe de comédiens acrobates, les Pouics, dont le génie ravageur anime l'écran et massacre les décors autour des vedettes maison, Calino ou Onésime. Le public est également friand des facéties d'acteurs enfants, Bébé (René Dary) puis Bout-de-Zan chez Gaumont, ou Willy chez Éclair.

C'est aussi dans les marges du comique que s'exerce le talent d'**Émile Cohl**, pionnier du dessin animé qui mêle les silhouettes dessinées et les acteurs filmés (il travaille successivement pour Gaumont, Pathé, Éclipse et Éclair).

On adapte quantité de mélodrames et de romans populaires, voire d'œuvres littéraires (Zola ou Victor Hugo), dans des productions de plus en plus longues — on commence à pouvoir parler de long métrage vers 1911. La veine réaliste introduite chez Pathé au temps de Zecca se développe : les grèves, les accidents du travail deviennent l'argument de scénarios qui effleurent la question sociale — sans jamais mettre en question l'ordre établi. La lutte des classes est toujours un malentendu que dissipe aux dernières images une réconciliation de l'excellent ouvrier et du bon patron (*Le Maître de forges* chez Éclair, *La Lutte pour la vie* chez Pathé).

Enfin, dans les années qui précèdent la guerre, commence la vogue du *serial*, policier teinté de fantastique social, traité en épisodes dont la sortie en salles s'étire sur plusieurs mois. Ce genre consacre le talent de Victorin Jasset (les séries *Nick Carter*, puis *Zigomar* chez Éclair), puis celui de Louis Feuillade chez Gaumont : le premier *Fantômas* sort en mai 1913.

Les premiers metteurs en scène, les premiers auteurs, émergent :

• **Albert Capellani**, directeur artistique de la SCAGL pour Pathé. À ce titre, il a supervisé une centaine de films. Comme metteur en scène, il a dirigé de nombreuses adaptations de Hugo, *Notre-Dame de Paris*, *Les Misérables*, et surtout *Quatre-vingt-treize*, qu'il a laissé inachevé en 1914 (le film sera terminé par André Antoine en 1921). Capellani est également, et à juste titre, admiré pour ses adaptations de Zola, notamment un puissant *Germinal* en 1913. À la même école de la SCAGL se rattachent quelques cinéastes qui gravitent autour de Capellani : Georges Monca, Michel Carré, Georges Denola ;

• **Léonce Perret**, qui fut un comique chez Gaumont (la série des *Léonce*). Il dirige aussi des films romanesques, dont le très beau *L'Enfant de Paris*, un film de deux heures sorti en septembre 1913, tourné en grande partie dans des décors naturels (à Paris et dans la région de Nice), reconnu comme une des premières manifestations du courant réaliste français ;

• **Victorin Jasset**, l'homme de la société Éclair. Mort en juin 1913, il est surtout connu pour un texte d'une grande lucidité qu'il a publié en 1911, *Étude sur la mise en scène en cinématographie*. La rétrospective des films Éclair, organisée en 1992 à Pordenone, a permis une réévaluation de quelques-uns de ses films, qui l'installe à ce moment charnière où le récit proprement cinématographique se dégage des influences du théâtre. Autour de lui travaillent les auteurs Éclair, notamment Émile Chautard et Maurice Tourneur qui s'expatrieront aux États-Unis en 1914, et Gérard Bourgeois ;

• **Louis Feuillade** enfin. On l'a vu gagner ses premiers galons chez Gaumont dès 1907. Il y a tout fait, il a supervisé ou dirigé tous les genres avec une productivité hallucinante. C'est avec la série *La Vie telle qu'elle est*, initiée en 1911, qu'il se met en évidence ; c'est avec *Fantômas*, à la veille de la guerre, qu'il s'affirme comme le plus talentueux des cinéastes français — le *Larousse du Cinéma* le définit comme «le troisième homme du cinéma français», après Lumière et Méliès.

Louis Feuillade

«Les scènes de *La Vie telle qu'elle est* ne ressemblent en rien à ce qui a été fait jusqu'ici par les divers éditeurs du monde. Elles sont un essai de réalisme transporté pour la première fois sur l'écran, comme il le fut, il y a des années, dans la littérature, le théâtre et les arts... Ces scènes veulent être et sont des tranches de vie. Si elles intéressent, si elles émeuvent, c'est par la vertu qui s'en dégage, après les avoir inspirées. Elles s'interdisent toute fantaisie et représentent les gens et les choses tels qu'ils sont et non pas tels qu'ils devraient être. En ne traitant que des sujets qui puissent être vus de tous, elles dégagent une morale plus haute et plus significative que tant de navrantes historiettes faussement tragiques ou bêtement sentimentales dont il ne reste pas plus de trace dans la mémoire ou dans le cœur qu'à la surface de l'écran de projection [...]. Nous sommes arrivés dans les scènes de *La Vie telle qu'elle est* à donner une impression de vérité inconnue jusqu'à ce jour.»

«L'Art du vrai», *Ciné-Journal*, 22 avril 1911, repris dans : Francis Lacassin, *Feuillade*, Seghers, 1964.

---

6. 1914 OU L'EFFONDREMENT

Avant la guerre, dès 1912, des craquements annonçaient des temps plus difficiles pour le cinéma français. La concurrence des Américains, celle aussi des Danois, entamaient la suprématie Pathé-Gaumont-Éclair sur les marchés européens. Mais les premiers jours d'août 1914 ont eu l'effet dévastateur d'une bombe tombant sur un marché couvert. La mobilisation arrache les hommes aux studios, du machiniste obscur à la plus grande vedette : Max Linder, «l'homme aux 250 000 francs par an», revêt l'uniforme. L'autorité militaire réquisitionne les studios, l'usine de Vincennes devient usine d'armement. Du jour au lendemain, la production est interrompue. Charles Pathé ferme la plus grande partie de ses succursales (certaines filiales parmi les plus importantes sont en terre ennemie) et s'embarque pour les États-Unis. Il y reste jusqu'à la fin de l'année et y fera de longs séjours jusqu'en 1917 : pendant quatre ans, c'est Pathé Exchange, la filiale américaine, qui assure la survie du groupe. Pendant six mois, la production du cinéma national est pratiquement nulle. Elle reprend, timidement, au début de 1915. Les premiers films, qui sortent de studios souvent improvisés dans le midi, sont surtout des films patriotiques.

Chez Gaumont sortent *Les Fiancés de 1914, Union sacrée, Française, veillez !, Mort au champ d'honneur* ; au Film d'Art : *Dette de haine, Alsace, La Fille du boche*... Mélodrames évidemment héroïques, d'autant plus fragiles qu'une censure militaire tatillonne interdit toute représentation d'uniformes ennemis. Le public se lasse vite de ces niaiseries, et les cinéastes actifs reviennent à leurs habitudes. Après quelques films dans le goût de l'époque, Feuillade retrouve le *sérial* avec *Les Vampires*, une vaste fresque criminelle dont les dix épisodes paraissent de novembre 1915 à juin 1916, et qui fascinera plus tard les surréalistes, puis *Judex*. En 1916 et 1917, ses films se trouvent en concurrence sur les écrans parisiens avec les Pearl White produits aux États-Unis par Pathé sous la direction de Louis Gasnier. D'honnêtes artisans, dont certains affirment un vif talent (Henri Pouctal, avec son *Monte Cristo* de 1918), tournent aussi des drames mondains où les robes sont un peu plus courtes qu'avant la guerre, et quelques productions plus lourdes destinées en priorité à plaider la cause française en terre américaine, comme *Mères françaises* de Louis Mercanton, avec Sarah Bernhardt.

Les années de guerre furent surtout celles de la conversion au cinéma d'une génération de jeunes intellectuels nourris de poésie symboliste qui souvent s'interrogèrent sur le septième art avant de le pratiquer : Louis Delluc, Abel Gance, Marcel L'Herbier. **Louis Delluc** aima Charlot, *Forfaiture* de Cecil B. De Mille et les films américains de Thomas Ince, les opposant à une production française qu'il exécrait avec quelque injustice. Mais il sut aussi reconnaître la puissance de l'œuvre cinématographique d'**André Antoine**. C'est en 1915, à près de soixante ans (il est né en 1858), que l'homme du Théâtre-Libre entre en cinéma à la SCAGL de Pierre Decourcelle et tourne son premier film, *Les Frères corses*. Delluc : «Le scénario est ingrat au possible, les acteurs sont emprisonnés de théâtre et même de Conservatoire, et surtout le mot économie a dû être soufflé plus d'une fois à Antoine. Et avec ça, la gaucherie d'un gros effort sans expérience suffisante. Eh bien, *Les Frères corses*, c'est le plus beau film qu'on ait jamais vu en France. Et il est français.» Suivirent *Le Coupable*, puis *Les Travailleurs de la mer* en 1917. Les Français ne mesurèrent pas qu'il y avait là un immense cinéaste. Il fallut une rétrospective, encore incomplète, de son œuvre au musée d'Orsay en 1990 puis l'exhumation d'une copie des *Frères corses* dans une collection japonaise en 1992, pour que soit amorcée sa réhabilitation.

Abel Gance, qui tourne des films courts depuis 1915, passe au premier plan en 1917 avec *Mater dolorosa*, puis *J'accuse !* en 1918 (il tournera un deuxième *Mater dolorosa* en 1932, et un deuxième *J'accuse !* en 1938), qui l'un et l'autre plongent leurs racines plastiques (un admirable travail de la lumière) dans la peinture symboliste.

Marcel L'Herbier, qui est passé par le Service cinématographique de l'armée (créé en 1915), tourne son premier film, *Rose-France*, essai poétique qu'il présentait comme «une cantilène composée et visualisée» commandée par le Haut Commissariat à la propagande. Et c'est encore le grand Feuillade qui met un point final au cinéma de la guerre avec *Vendémiaire*, tourné à l'automne 1918, une métaphore puissante unissant le sang versé des hommes et le vin de la vigne languedocienne, promesse de renaissance et de vie.

Dans *Vendémiaire*, comme dans les séquences tournées en extérieur dans Paris pour *Le Coupable* d'André Antoine, circule l'air libre des tournages en extérieur. Les bateaux qui descendent le Rhône ou circulent sur la Seine, sont — après les rues de *L'Enfant de Paris* — d'autres moments de la reconquête d'un réel que les opérateurs des Lumière avaient maîtrisé spontanément vingt ans plus tôt. Lorsque la paix revient, le paysage est bouleversé. La guerre, en brassant les hommes des villes et des villages dans les cantonnements de l'arrière, les a aussi initiés au cinéma : le film a été partout, à partir de 1917, un moment important du repos des guerriers. Intellectuels et paysans ont vu ensemble des kilomètres de pellicule, et cette pellicule était plus souvent américaine que française. Dans le cœur des spectateurs, Charlot a supplanté Max Linder. Le cinéma français commence alors sa guerre privée contre le cinéma américain, et cette guerre est d'emblée celle du pot de terre contre le pot de fer, selon l'heureuse expression que Pierre Kast emploiera en 1946. Charles Pathé, bien avant la fin des hostilités, proposait déjà l'instauration d'un quota de 25 % de films français imposé aux exploitants. La pression de Hollywood sur le marché national, hors les quatre années de l'Occupation, sera jusqu'à nos jours la toile de fond du paysage cinématographique français.

7. LES ANNÉES VINGT

Le numéro de Noël 1919 de la revue *Le Film* s'ouvre sur un article plein d'optimisme, cité par Georges Sadoul : «Peu à peu voici se rouvrir les studios longtemps désertés, voici revenir les bons ouvriers... Nous assistons à une floraison pleine de promesses. Le cinéma français renaît, épuré, affiné, plus fort que jamais... Des éléments artistiques et intellectuels s'introduisent, et bien rares et arriérés sont maintenant ceux qui ne peuvent apercevoir [dans le cinéma] un art véritable, appelé certainement à de très hautes et très nobles expressions. Et c'est là que la France doit marquer sa place. C'est sur ce terrain que nous pouvons lutter et concurrencer les étrangers qui disposent de moyens de production et de diffusion plus puissants...» Le signataire de ces lignes, Lyonel Robert, se fait des illusions. L'outil industriel, qui vieillissait déjà en 1914, est désintégré. Dès 1915, Pathé a commencé à vendre son empire par appartements, une filiale après l'autre. En 1918, il vend la SCAGL, puis les unités italienne, américaine, anglaise. La société mère se restructure en Pathé-Cinéma, la production et la distribution sont concentrées dans une filiale nouvelle, Pathé-Consortium. En 1922, il s'allie à Jean Sapène, maître d'un important groupe de presse, pour développer la Société des cinéromans. En 1926, les difficultés continuant, il cède l'usine de pellicule de Vincennes aux Américains de Kodak. En 1929, Charles Pathé vend ses actions à Bernard Natan. En 1930 enfin, il démissionne de toutes ses charges dans l'entreprise et prend sa retraite.

Le démantèlement de l'ancienne Pathé-Frères est exemplaire de l'inexorable déclin d'une industrie devenue inadaptée. Éclair cesse de produire des films en 1919. Gaumont s'en tire mieux, grâce notamment à la «série» Pax lancée en 1918 sous la direction de Léon Poirier qui recrute des metteurs en scène jeunes : il leur demande un travail plus soigné, des sujets plus ancrés dans le contemporain, des visages nouveaux. Poirier (avec *Le Penseur* en 1920, *Jocelyn* en 1922) et L'Herbier sont les principaux auteurs Pax dans les années 1919 à 1922. Ils ne suffisent pas à enrayer l'atrophie de la firme «à la marguerite», dont la production diminue régulièrement et s'interrompt en 1925.

La France, encore profondément rurale, manque de salles et ces salles diffusent massivement des films américains. La production nationale s'émiette, les équipes qui faisaient la force du cinéma français avant la guerre ont été dispersées. Le cinéma français, qui s'exporte mal, devient un cinéma provincial.

Ceci posé, on a dit et écrit trop de mal de ce cinéma de la dernière décennie du muet. Malgré un terrain peu favorable, le plus souvent dans des conditions de production hasardeuses, des cinéastes ont travaillé, réalisé quelques monuments incontestés, et établi une tradition du film artistique, intellectuel si l'on veut, qui demeurera celle du cinéma français.

Les restaurations entreprises depuis une quinzaine d'années par la Cinémathèque française et par le Service des archives du film incitent à réhabiliter, de façon modérée, une part de la production courante et à mettre en évidence une page glorieuse que les historiens du cinéma avaient négligée : l'aventure créatrice des Russes de Montreuil. Mais procédons par ordre.

8. L'AVANT-GARDE, OU L'IMPRESSIONNISME FRANÇAIS

Ce cinéma est celui des intellectuels, tantôt exalté, tantôt vilipendé avec la même démesure. Autoconsacré à l'origine (comme ceux de la Nouvelle Vague de 1959, ses auteurs étaient aussi des gens de plume, critiques et essayistes, qui ont su «vendre» leur production), souvent brocardé ensuite (par les surréalistes notamment) pour des effets d'école devenus des tics, il demeure incontournable, tant pour ce qu'il est que pour l'influence qu'il a exercée — sur le cinéma d'Alain Resnais par exemple. L'avant-garde se constitue autour de **Louis Delluc**, journaliste venu au cinéma pendant la guerre, convaincu sinon foudroyé par l'évidence plastique des films américains (en particulier à partir de *Forfaiture — The Cheat*, 1915 — de Cecil B. De Mille). Delluc écrit, parle, prouve. Il s'en prend au cinéma français, même s'il a une grande indulgence, on l'a vu, pour Antoine. Il soutient aussi quelques jeunes metteurs en scène (René Le Somptier, Jacques de Baroncelli) et éprouve une réelle admiration pour Abel Gance. Delluc milite pour un cinéma français qui soit «du cinéma», et qui soit «français» ; il appelle un cinéma authentique, c'est-à-dire dégagé du théâtre et des mauvais scénarios littéraires ou historiques. Il veut un cinéma qui parle le langage des images, cette «photogénie» que ses amis et lui-même s'acharnent à définir. Il veut enfin des scénarios originaux.

Louis Delluc

«La France pouvait faire plus et mieux. Elle n'a pas le sens du cinéma, mais elle abonde en esprits jeunes, curieux et inventifs, épris du cinéma. Elle a une place exceptionnelle. Elle a du moins une place à part, je dis : **à part**, dans le bon et le mauvais sens du terme.

La guerre la mit en infériorité. C'est possible, et j'admets que la vie française du temps de guerre fut, malgré le nombre d'hommes et de capitaux disponibles à l'arrière des armées, assez peu propice à la constitution d'une ample affaire d'art, vive et équilibrée.

Mais la guerre est, ou peu s'en faut, terminée. Un pays éprouvé comme l'Allemagne a vite bâti à larges plans son industrie cinématographique. Pourquoi la France n'y a-t-elle pas réussi ?

L'incuriosité du public à l'égard des possibilités de l'écran est certes un des grands maux de ce pays […].

Et ainsi je ne prévois pas l'apparition d'une cinématographie française qui soit réellement française. Quelques productions comportent les meilleures qualités de la race. Mais il n'y a pas encore à l'heure actuelle d'ensemble français en matière de cinéma.

Je continue de ne pas croire à une prochaine victoire du film français, mais je crois à beaucoup de victoires où triompheront des Français. Je suis sûr en tous les cas que les travailleurs français arriveront bientôt (c'est une question de vie ou de mort) à nettoyer leur atelier en le débarrassant des commerçants imbéciles, des ruffians impunis, des tire-laine et des détrousseurs de cadavres qui l'encombrent de leur vermine.»

Les Cinéastes, 1923, in *Écrits cinématographiques*, tome 1,
Cinémathèque Française.

Autour de Louis Delluc, Germaine Dulac (c'est elle qui porte à l'écran son premier scénario, *La Fête espagnole*, en 1919), Jean Epstein, la comédienne Ève Francis, qu'il épouse, et qui sera la vedette de six des sept films qu'il a réalisés. Dans un second cercle, deux aînés qui ont déjà une expérience professionnelle, Marcel L'Herbier et Abel Gance. *Fièvre* et *La Femme de nulle part*, sans doute les deux meilleurs films de Delluc, le premier tourné en grande partie dans un décor de bar à matelots, le second dans des extérieurs méditerranéens excités par le vent, travaillent sur l'insertion de personnages non héroïques dans un environnement (l'espace, la lumière) qui rend compte de leur psychologie. L'air y est palpable et, autant que le visage d'Ève Francis, nous dit l'émotion ou le désarroi. Delluc fait de l'insaisissable mise en scène une évidence. Sa carrière est brève. Il meurt en mars 1924, à trente-trois ans. Il laisse une œuvre écrite considérable (récemment rééditée en quatre gros volumes), des films, et un certain panache gascon. En 1937, c'est son nom que quelques journalistes ont choisi pour qualifier le prix qu'ils voulaient voir décerner en toute liberté au meilleur film de la saison.

Germaine Dulac avait tourné plusieurs films pendant la guerre. Après *La Fête espagnole*, elle s'oriente dans la voie «impressionniste» qu'elle partage avec Delluc. Sa réussite majeure est, en 1923, *La Souriante Madame Beudet*, où elle dirige ses acteurs (Germaine Dermoz et surtout Alexandre Arquillière, qui fut le Zigomar de Jasset) avec une sobriété stupéfiante.

Jean Epstein (né à Varsovie en 1897) est sans aucun doute, quarante ans avant les jeunes gens de la Nouvelle Vague, le premier d'une longue série de cinéphiles que leur passion a conduit au passage à l'acte. Étudiant à Lyon à la fin de la guerre, il se gave de cinéma ; en 1920, il écrit un essai qui est l'éloge d'une modernité qu'il pressent ; en 1921, il débarque à Paris et trouve un emploi d'assistant auprès de Delluc. Après un documentaire de commande sur Pasteur, il tourne trois films dans la seule année 1923 : *L'Auberge rouge, Cœur fidèle, La Belle Nivernaise*. Sa sensibilité, sa virtuosité le consacrent «metteur en scène esthète» ; il mérite mieux que ce qualificatif réducteur.

C'est cette même année 1923 qu'**Abel Gance** termine *La Roue*, un film de quatre heures qu'il a mis trois ans à mener à bien, dans les Alpes du Sud et sur une voie ferrée de l'arrière-pays niçois. Plus que l'histoire (mélodramatique) d'un mécanicien de locomotive, *La Roue* est un hymne au chemin de fer et à la vapeur dont les résonances hugoliennes sont avouées. Un hymne, là aussi, à cette modernité mécanique qui fascine toute l'époque. Gance cherche dans les cadrages insolites, dans les jeux de lumière et de fumées, et surtout dans un montage convulsif et fragmenté, un équivalent sensoriel à la puissance de la machine ou aux éléments déchaînés. Quatre ans plus tard, son *Napoléon* inachevé sera le film le plus ambitieux jamais entrepris en France, qu'une copie restaurée en 1982, longue de cinq heures et treize minutes, réhabilitera aux yeux de deux générations de cinéphiles qui n'en avaient connu que des versions tronquées (souvent par Gance lui-même), abusivement sonorisées, et souvent projetées à partir de tirages 16 mm usés sur le front des ciné-clubs. *Napoléon* est un film génial et irritant, hyperbolique souvent, mégalomane sans doute, mais d'une puissance expressive unique dans tout le cinéma français.

Abel Gance

«Le cinéma dotera l'homme d'un sens nouveau. Il écoutera par les yeux. *"Wecol naam roum eth nacoloss* : Ils ont vu les voix", dit le Talmud. Il sera sensible à la versification lumineuse comme il l'a été à la prosodie. Il verra s'entretenir les oiseaux et le vent. Un rail deviendra musical. Une roue sera aussi belle qu'un temple grec. Une nouvelle formule d'opéra naîtra. On entendra les chanteurs sans les voir, ô joie, et la chevauchée des Walkyries deviendra possible. Shakespeare, Rembrandt, Beethoven feront du cinéma, car leurs royaumes seront à la fois mêmes et plus vastes. Renversement fou et tumultueux des valeurs artistiques, floraison subite et magnifique de rêves plus grands que tous ceux qui furent. Non seulement imprimerie mais "fabrique de rêve", eau régale, teinture de tournesol, pour modifier à volonté toutes les psychologies.

Le temps de l'image est venu !

Et nous mettons toute notre force, tout notre enthousiasme devant nos images, et derrière nous plaçons toute notre faiblesse ou notre mélancolie désespérée. Nous les faisons le moins transparentes possible pour qu'on ne devine que la force, mais des yeux exercés pourraient nous distinguer souvent agenouillés derrière elles...

En vérité, le temps de l'image est venu !»

L'Art cinématographique (1927), repris dans : René Jeanne et Charles Ford,
Abel Gance, Seghers, 1963.

Marcel L'Herbier enfin, après quatre films tournés pour la série Pax de Gaumont (notamment *L'Homme du large* en 1920, qui exploite la lumière et les paysages rudes de la côte bretonne), s'affirme avant-gardiste et moderne dans *Eldorado*, réalisé dans une Espagne que le soleil rend coupante (toujours pour Gaumont). Il fonde ensuite sa propre firme : Cinégraphic, sous le signe de la tour Eiffel (Eiffel pour F.L., Films L'Herbier ; on aimait ces jeux de mots et de lettres en 1922), et atteint les sommets de son art avec *L'Inhumaine* (1924) et *Feu Mathias Pascal* (1925, d'après Pirandello). L'Herbier est alors surtout un plasticien, qui convoque l'architecte Mallet-Stevens, le peintre Fernand Léger, les décorateurs Autant-Lara, Cavalcanti et Meerson, le couturier Paul Poiret, pour leur demander des formes et des espaces géométriques et froids qui résument et dépassent dans leur démesure le goût arts-déco alors furieusement à la mode.

En réalité, la mort de Delluc avait clos la saison «impressionniste» du cinéma français — ainsi nommé par référence et opposition à l'expressionnisme cultivé dans les studios berlinois (Delluc était un inconditionnel du «caligarisme») plus que pour faire écho à la peinture de Renoir ou Monet. Dès 1924, chacun de ceux qui l'ont illustrée creuse son propre sillon. À la fin de la décennie, il n'y a plus grand chose de commun entre *Napoléon* vu par Gance, et *L'Argent* que L'Herbier tourne en 1928, sinon l'ambition et la conviction que le cinéma (muet) est un art adulte.

9. LA PRODUCTION COURANTE

Là aussi, les restaurations des années quatre-vingt ont contribué à changer le regard des historiens. De la fin de la guerre à 1925, le goût populaire consacre les films à épisodes, héritiers des *serials* de Jasset et de Feuillade. À de rares exceptions près, ce ne sont plus des feuilletons policiers, mais des adaptations de romans ou de récits tirés de l'inépuisable fonds de cette littérature qu'on dit aussi populaire, et qui va de *La Porteuse de pain* aux *Misérables* en passant par *Le Juif errant*, de Jules Mary à Eugène Sue, Victor Hugo ou Zola. Ce sont aussi des aventures sur fond d'histoire qui renvoient au règne du bon roi Henri, à la Révolution ou à l'ascension de Bonaparte.

On a donc tourné, entre 1919 et 1925, une soixantaine de *serials*. Certains chez Gaumont, où c'est toujours Feuillade qui dirige, de *Barrabas* (douze épisodes, en tout 10 400 mètres, sortis en 1920) au *Stigmate* (six épisodes, sortis au printemps 1925, après la mort de Feuillade), en passant par *Les Deux Gamines, L'Orpheline* ou *Parisette* (chaque série en douze épisodes — *Parisette*, en 1921, introduit à l'écran un jeune acteur élégant qui a de l'avenir dans le cinématographe : René Clair).

Chaque firme produit ses *serials*. La plus active est de loin la Société des cinéromans, initialement créée par l'acteur René Navarre (il avait été, avant la guerre, le Fantômas de Feuillade), puis reprise par Jean Sapène, le patron, et Louis Nalpas, le directeur artistique. La distribution des films est fondée sur ce qu'on appellerait aujourd'hui une synergie entre les salles de cinéma et les journaux quotidiens du groupe Sapène (*Le Matin, Le Journal, L'Écho de Paris* et *Le Petit Parisien*) qui publient en feuilletons le scénario romancé des épisodes tournés (vite) à Joinville. La société a produit quelque 25 séries, allant de quatre à douze épisodes. Elle avait, outre Gaumont, des concurrents actifs, comme le Film d'Art, ressuscité par les producteurs Vandal et Delac (ce sont eux qui, juste après la guerre, ont produit le légendaire *Travail* de Henri Pouctal, un film-monument qu'une restauration récente a placé au rang des rares chefs-d'œuvre de ces années moroses), comme Pathé-Consortium (*L'Empereur des pauvres* de René Leprince en 1921), ou un peu plus tard les films Albatros dont nous reparlerons (*Les Aventures de Robert Macaire* de Jean Epstein, en 1925). Il est arrivé parfois qu'après la diffusion du feuilleton en épisodes, on le réduise en un unique et très long métrage qui faisait une seconde carrière commerciale.

On connaît encore mal cette production massive et rapide. Mais les restaurations et les tirages des années quatre-vingt nous incitent à la prudence : les «séries» ne sont pas nécessairement le travail bâclé que brocardaient les beaux esprits contemporains. Il y a dans *L'Enfant roi* (Jean Kemm, Cinéromans, 1923) ou dans *Fanfan la Tulipe* (René Leprince, Cinéromans, 1925) une allégresse, un plaisir à filmer qu'on cherche en vain dans les productions « bourgeoises » de l'époque, dans les drames mondains signés par Georges Monca, Charles Maudru, et surtout Gaston Roudès. Ce dernier signe une trentaine de films entre 1919 et 1928, en majorité des histoires d'hommes d'affaires et d'aristocrates décavés, où l'argent, l'amour et la trahison animent des personnages en habit dans des décors convenus de châteaux et de salons.

Il y a aussi dans cette production courante un niveau médian où œuvrent des cinéastes de belle qualité. **André Antoine** tourne en 1920 *L'Hirondelle et La Mésange*, dont un premier montage déplaît à Charles Pathé. Le film est abandonné, puis démonté dans des boîtes que la Cinémathèque française confie en 1982 à Henri Colpi qui en assure la reconstitution. *L'Hirondelle et La Mésange* est une merveille, et le cas probablement unique d'un film muet qui est sorti, éclatant de fraîcheur, soixante ans après son tournage. Antoine réalise encore deux films en 1921 — cette année-là, il accepte aussi de terminer le *Quatre-vingt-treize* abandonné en 1914 par Capellani — dont *La Terre*, une puissante adaptation de Zola, et un ultime film en 1922, puis il abandonne le cinéma sur un propos désabusé : « Si j'avais vingt ans de moins, au lieu de bavarder, je ferais le Cinéma-Libre, libre des routines, des combinaisons, des trusts et des paresseux qui l'ont mené là où il est tombé. »

De nouveaux auteurs s'affirment ou confirment un talent pressenti dans leurs films du temps de guerre. René Le Somptier, Henri Fescourt et **Julien Duvivier**. La carrière muette de Duvivier, qui a tourné son premier film dès 1919, a été expédiée en quelques mots sévères par Georges Sadoul (« de médiocres productions commerciales »). Les quelques films qu'on a pu voir récemment (*Le Reflet de Claude Mercœur* de 1923, le premier *Poil de carotte* de 1925, *Au Bonheur des Dames* de 1928) ne justifient pas cet anathème et donnent envie d'aller y voir de plus près.

On gagnera aussi à mieux connaître l'œuvre polymorphe de **Raymond Bernard**. Il a débuté en 1917 et mis en scène deux ans plus tard *Le Petit Café*, avec Max Linder, d'après la pièce de son père Tristan Bernard. Il se fait un nom (ou un prénom) avec *Le Miracle des loups* en 1924, puis avec

Le Joueur d'échecs en 1927 — dont la restauration, en 1992, a confirmé sa maîtrise dans le film d'histoire. Ces deux films étaient produits par la Société des films historiques de Jean de Merly. C'est la même entreprise qui finança, en 1928 et 1929, *Le Tournoi dans la cité* et *Le Bled*, de Jean Renoir.

Les premiers films de **Jean Renoir**, notamment *La Fille de l'eau* qu'il tourne en 1924 avec (et pour) Catherine Hessling, échappent au carcan de la production commerciale. Jean Renoir, fils de famille riche, qui avait envisagé avant la guerre une carrière militaire, cavalier en 1914, blessé gravement au front, aviateur ensuite jusqu'à l'armistice, est venu, dit-il, au cinéma par amour et a produit ses premiers films en vendant des tableaux que lui avait laissés son père Auguste Renoir. Son *Nana* de 1926, toujours avec Catherine Hessling, est un projet ambitieux, coûteux, partiellement tourné dans un studio berlinois.

Renoir n'atteint pas alors la notoriété de **Jacques Feyder** (d'origine belge, il avait tourné de nombreux films pour Gaumont pendant la guerre), dont *L'Atlantide* de 1921 a révélé l'originalité. C'est un film long (4 000 mètres), tourné en extérieurs aux confins sahariens, dont la lumière exalte la matière romanesque empruntée à Pierre Benoit. Feyder est à la fois le cinéaste de la passion (après *L'Atlantide*, *L'Image* et *Carmen*, et peut-être un *Thérèse Raquin* tourné en 1928, dont aucune copie n'a à ce jour été retrouvée) et le cinéaste des enfants : *Visages d'enfants*, produit en Suisse en 1925, et *Gribiche*. En 1928 et 1929, il tourne avec un budget considérable *Les Nouveaux Messieurs*, un film sarcastique sur les mœurs politiques du temps qui eut des difficultés avec la censure.

Ces *Nouveaux Messieurs*, comme *L'Argent* de L'Herbier et peu après le *Napoléon* de Gance, comme aussi le *Casanova* de Volkoff dont il sera question plus loin, témoignent d'une évolution de la production à la fin de la décennie. On tourne, entre 1927 et 1929, des films «lourds» dont le montage financier dépasse parfois les possibilités des producteurs français et de leurs banquiers. Les génériques mentionnent alors des coproducteurs allemands, ou des financiers «internationaux». Déjà, à la fin du muet, le film européen prend corps.

10. LES RUSSES DE MONTREUIL

En novembre 1920, un film singulier sort sur les écrans parisiens. Intitulé *L'Angoissante Aventure*, il est signé de **Jacob Protozanoff**, produit par la Ermolieff Films, interprété (entre autres) par deux immenses stars du cinéma tsariste : Ivan Mosjoukine et Nathalie Lissenko. Le scénario, plutôt tortueux, intègre des plans du couple célèbre cadré dans des sites touristiques d'Istanbul, ou sur le pont transbordeur qui enjambait le vieux port de Marseille.

Joseph Ermolieff était un ancien de la Pathé-Rouss. Au début de la guerre, il avait fondé à Moscou une société de production assise sur une solide équipe de techniciens et d'acteurs. Chassé par la révolution, il avait transféré son studio à Yalta. Quand les bolcheviks menacèrent la Crimée, il embarqua tout son monde et, *via* Istanbul et Marseille, gagna Paris où Charles Pathé lui céda son studio de Montreuil. *L'Angoissante Aventure*, terminé à Montreuil, a récupéré des plans tournés au nom du «ça peut toujours servir» pendant le long voyage vers l'exil.

Pendant dix ans, sous la bannière d'Ermolieff, puis, après son départ pour Berlin en 1922, dans le cadre des films Albatros d'Alexandre Kamenka, les Russes de Montreuil produisirent des dizaines de films qui s'articulent en deux séries. En simplifiant, on a les films «russes-russes», tournés par des équipes exclusivement russes, sur des sujets russes, dans des ambiances russes ou orientales, et les films «russes-français», où Kamenka et son équipe mirent leur logistique et leur savoir-faire au service de metteurs en scène français : René Clair tourna pour Albatros ses premières comédies brillantes, *Un chapeau de paille d'Italie* et *Les Deux Timides*. Gance mobilisa metteurs en scène et décorateurs moscovites pour de grands pans de son *Napoléon*, et beaucoup plus tard, au temps du parlant, c'est encore Albatros qui produira *Les Bas-Fonds* de Jean Renoir — le premier prix Louis Delluc en 1937.

Les «russes-russes» : il a fallu la redécouverte à Pordenone, puis au musée d'Orsay en 1989, de l'étonnante finesse des films tsaristes des années 1916 et 1917, de ces drames crépusculaires mis en scène avec une sobriété raffinée, pour comprendre qui étaient ces metteurs en scène — outre Jacob Protozanoff, il y avait **Viatcheslaw Tourjansky** et **Alexandre Volkoff** —, ces décorateurs (Alexandre Lochakoff), ces opérateurs (Nicolas Toporkoff, Fedote Bourgassoff), et des comédiens de la trempe de Mosjoukine et Lissenko, déjà évoqués, ou de Nicolas Rimsky, Nathalie Kovanko, Nicolas Koline.

Ils travaillent en équipe, en russe (le cinéma muet offrait cet avantage), s'adaptent parfois au goût français (*La Maison du mystère* est, en 1922, une «série» façon Cinéroman qui associe des acteurs français — Charles Vanel ou la toute jeune Simone Genevois — aux vedettes maison, sous la direction de Volkoff), mais tournent surtout des films originaux, dont la perfection technique alliée à l'ampleur et à l'élégance des décors surpassent ce qui se faisait de mieux dans la production française. *Kean* de Volkoff en 1923, *Michel Strogoff* de Tourjansky en 1926, et surtout leur chef-d'œuvre, le superbe *Casanova* (Volkoff de nouveau, en 1927) qui reconstitue une Russie impériale crédible du côté de Grenoble. Tous ont pour protagoniste Ivan Mosjoukine, qui était devenu en Europe occidentale une star de première grandeur.

POUR CONCLURE

Dès 1923-24 était apparue une «deuxième avant-garde», teintée d'esprit dada puis de surréalisme, souvent provocatrice ou insolente, qui n'atteignit jamais le grand public, mais qui influença durablement des jeunes gens qui marqueront l'histoire du cinéma bien au-delà des frontières de l'hexagone. Le photographe **Man Ray**, venu de dada, le peintre **Fernand Léger**, formé par le cubisme, y tournèrent des films expérimentaux ; on en rapprocha des essais de Germaine Dulac (*La Coquille et le clergyman*) ou des fantaisies de Cavalcanti.

C'est dans ce courant désinvolte que naissent donc au cinéma deux des grands de ce premier siècle. **René Clair**, qui tourne en 1923 *Paris qui dort*, puis en 1925 *Entr'acte*, sur une idée de Francis Picabia. Et **Luis**

Buñuel qui, avec Salvador Dali, lance en 1928 son premier brûlot surréaliste, *Un Chien andalou*.

Vers 1928 aussi se manifeste, à Paris comme dans toute l'Europe, une école spontanée de jeunes cinéastes venus de la cinéphilie, une nouvelle vague documentaire qui, avec peu de moyens, saisit une réalité poétique ou polémique (souvent les deux à la fois), ou jubile à filmer le cinéma en train de se faire : Pierre Chenal et Jean Mitry tiennent chronique de l'actualité cinématographique dans *Paris-cinéma*, Jean Dréville enregistre L'Herbier dirigeant *L'Argent*, André Sauvage, Georges Lacombe et Marcel Carné (*Nogent, eldorado du dimanche*) filment la capitale, ses canaux, ses banlieues, ses habitants. Jean Vigo tourne *À propos de Nice*. Des films courts que diffusent les premières salles spécialisées, le Studio 28 ou le Studio des Ursulines. C'est la troisième génération du cinéma qui monte à l'assaut de l'art encore muet. Pour peu de temps.

DU PARLANT À LA QUALITÉ FRANÇAISE. 1929-1958

Pendant trois décennies, le cinéma français, malgré les événements dramatiques qui l'environnent, évolue peu dans la forme de ses produits. En revanche, sa reconstruction après la Deuxième Guerre mondiale en transforme radicalement le mode de production.

1. LE CHOC DU PARLANT

C'est le 6 octobre 1927 qu'est sorti à New York *The Jazz Singer* (*Le Chanteur de jazz*, d'Alan Crossland), le premier film parlant de l'histoire moderne du cinéma. Les industriels français sont en retard. Léon Gaumont travaille avec deux ingénieurs danois, Petersen et Poulsen, sur un procédé de sonorisation qui porte leur nom, et qui vient trop tard. En 1928, trois géants de l'industrie électrique se livrent une gigantesque « guerre des brevets » qui aboutit à un compromis planétaire : deux Américains, Western Electric et RCA., et un Allemand, Tobis Klangfilm, définissent les normes techniques du nouveau média et se partagent ce fabuleux gâteau qu'est l'équipement de dizaines de milliers de salles dans le monde avec un matériel coûteux et délicat. Il faut partout reconstruire des studios insonorisés et y installer la cabine, plus isolée encore que les plateaux, où règne un nouvel intervenant qui impose son pouvoir dictatorial aux cinéastes et aux comédiens : l'ingénieur du son. À Épinay (procédé allemand) et à Billancourt (procédé américain), les premiers studios français ne sont prêts qu'à l'automne 1929.

Le Chanteur de jazz, qui parlait et chantait en anglais, était sorti sur les boulevards le 30 janvier 1929. C'est le 22 octobre qu'apparaît un premier film parlant français, *Le Collier de la reine*, de Gaston Ravel, qui n'est encore qu'un film tourné muet, auquel on a ajouté en catastrophe un accompagnement musical et quelques scènes dialoguées. Le vrai «premier grand film français 100 % parlant» (c'est la publicité Pathé qui le dit) sort neuf jours plus tard : *Les Trois Masques*, de André Hugon, ont été tournés au studio de Twickenham, en Angleterre. Les plans sont longs, dans des décors étriqués, la caméra reste figée comme au temps de Méliès. La mise en scène s'efface derrière les impératifs techniques, les acteurs doivent faire face à un micro volumineux dissimulé derrière un fauteuil ou une plante verte. C'est une régression terrible.

Pendant une année, le cinéma se cherche. Dans les studios français, dans les studios «babéliens» que la Paramount a équipés à Joinville pour tourner, comme à la chaîne, six ou huit versions d'un même film où l'on parle toutes les langues de l'Europe, et dans les studios berlinois où l'industrie allemande fabrique des versions françaises de ses propres réalisations (avec des équipes parisiennes — cinéastes et comédiens — qui vivent parfois à plein temps dans la capitale de ce qui devient vite le troisième Reich), on tâtonne pour inventer le nouveau langage.

On a dit souvent qu'il a fallu plusieurs années pour franchir le gué. En réalité, dès février 1930, **René Clair** termine à Épinay *Sous les toits de Paris*, puis, dans les deux ans qui suivent, *Le Million, À nous la liberté* et *Quatorze juillet*. Il y anime, avec musiques et chansons, la vie d'un «petit peuple» parisien qui est tout sauf réaliste, une vision aérienne, poétisée, qui séduit le monde entier.

D'autres cinéastes, dont certains sont de ces étrangers de passage qui fécondent le cinéma français tout au long des années trente, affirment une maîtrise aussi grande, notamment le russe errant **Anatole Litvak** qui pose en 1931, avec *Cœur de Lilas*, quelques-unes des graines de ce qu'on appellera vers 1936 le «réalisme poétique». *Cœur de Lilas* introduit deux débutants qui marqueront quarante ans de cinéma français, Fernandel dans un petit rôle, et surtout Jean Gabin qui campe déjà un personnage taillé à sa mesure : un mauvais garçon, le foulard noué autour du cou, le chapeau baissé sur ses yeux clairs. **Julien Duvivier** puis **Jean Renoir** réussissent leur examen de passage. D'autres, comme Abel Gance ou Marcel L'Herbier, peinent devant le nouvel outil et s'engluent dans des besognes alimentaires.

Le parlant est impitoyable pour une grande part des acteurs du muet, et d'abord pour les Russes de Montreuil dont Jean Renoir brocarde l'«accent indécrottable». Le parlant doit recruter des visages nouveaux qui soient aussi des voix. Il les trouve, c'est logique, surtout au théâtre. Et avec les comédiens, il trouve les sujets. C'est l'âge d'or du théâtre filmé, qui durera longtemps. On fait des films avec des «mots». «Trop de nos films ne sont que théâtre photographié», déplore le député Henri Clerc qui analyse, en 1933, la crise de la profession. Et pas du meilleur théâtre ; un critique (Gaston Thierry dans *Paris-midi*) évoque «la résurrection d'honorables vieilleries» : le comique troupier (en uniformes à brandebourgs d'avant 1914) et la caleçonnade divertissent un public du samedi soir qui n'est, il faut le dire, pas difficile. Les comédiens valent mieux que les films : Michel Simon, Harry Baur, Raimu, Gaby Morlay, Jules Berry, Arletty... On reprend souvent les mêmes, et cette faveur incontestable durera longtemps.

René Clair

«Si ce n'est pas à la seule influence du théâtre que l'on peut reprocher le triste état du cinéma en 1933, il n'en reste pas moins que cette influence est déplorable. Le cinéma, depuis ses premiers jours, était soulevé par des mouvements semblables aux convulsions politiques qui se produisent dans les pays jeunes. L'avènement du film sonore et parlant fut pour lui comme une nouvelle révolution dans un État en proie à une crise permanente. Au sein de son anarchie, on pouvait espérer que le cinéma trouverait une organisation convenable à sa nature et se formerait lui-même. Mais le théâtre est venu, comme ces voisins qui sont toujours disposés à rétablir l'ordre chez autrui. Fort de son expérience, il a dicté ses vieilles lois et ses vieux usages à son jeune rival qui dépérit aujourd'hui sous la contrainte d'une règle étrangère.

Si l'on peut encore parler de cinéma aujourd'hui, c'est de temps à autre, à cause de quelques films exceptionnels qui réveillent nos espoirs, évoquent

---

l'époque où nous étions tournés vers l'écran comme vers un nouveau monde. Celui qui n'a pas connu cette époque de découvertes ne comprendra jamais ce que pour nous peut être un film.»

Texte de 1933 cité dans *Cinéma d'hier, cinéma d'aujourd'hui*, Gallimard, coll. Idées, 1970.

2. LA CRISE

La grande dépression n'atteint la France qu'en 1932. Le cinéma n'est pas à l'abri, d'autant que des caractères spécifiques le fragilisent plus que d'autres secteurs de l'économie. D'abord la concurrence américaine reparaît de plus belle quand la technique du doublage est au point (on avait cru que la barrière de la langue l'atténuerait, les Américains eux-mêmes l'avaient cru, qui, pour contourner l'obstacle, avaient exporté la Paramount à Joinville, ou importé des Français à Hollywood, de Claude Autant-Lara à Françoise Rosay) : en 1932, Gary Cooper et Greta Garbo parlent français.

Ensuite la transformation des salles et des studios évoquée plus haut, la construction de nouveaux cinémas fastueux, dont le Rex demeure à Paris un des rares exemples préservés, avaient endetté toute la profession. En 1933, les faillites se multiplient, et deux tristes feuilletons commencent, qui s'étireront jusqu'à la fin de la décennie : les effondrements parallèles de Gaumont et de Pathé.

Gaumont, dès l'été 1929, s'était fondu dans un holding, la GFFA (Gaumont-Franco Film-Aubert), soutenu par la BNC (Banque nationale de crédit). Léon Gaumont a vite pris ses distances du groupe qui portait encore son nom. Deux ans plus tard, la BNC est en difficulté, et l'État la renfloue. C'est donc l'État qui devient par son intermédiaire créancier de la GFFA. En juillet 1934, celle-ci dépose son bilan, dans un climat malsain de scandales et d'affaires. On évoque, au temps du Front populaire, la nationalisation de la firme à la marguerite. Sans suite. Commissions et sous-commissions traitent le dossier, et finalement, en 1938, Gaumont est mis en liquidation. Un groupe financier constitué autour de l'agence Havas rachète les épaves et crée, à la veille de la guerre, la Société nouvelle des Établissements Gaumont, la SNEG, toujours bien vivante en 1994.

Pathé, racheté en 1929 par Bernard Natan, a une évolution parallèle et encore plus sordide. Natan, dont les difficultés s'accumulent dans une grande confusion que la presse à scandales attise et colore d'antisémitisme, achève le démantèlement que Charles Pathé avait commencé dès la fin de la guerre. Faillite, inculpation puis arrestation de Natan (il mourra dans un camp allemand après un procès-spectacle pendant l'Occupation) anéantissent ce qui avait été le puissant empire du maître de Vincennes. Là aussi, l'actif est repris par une société toute neuve, d'abord Société d'exploitation des établissements Pathé-Cinéma (SEEPC), qui deviendra en juin 1944, après avoir apuré les dettes, la SNPC (Société nouvelle Pathé-Cinéma), dix ans après que Pathé-Natan a produit ses derniers films.

Pendant toutes les années trente, le cinéma français a été porté à bout de bras par des entreprises fragiles, parfois des sociétés « au coup par coup », créées pour la production d'un film unique. Des producteurs aventuriers, dont certains n'étaient pas dépourvus de talent, maintiennent un tissu économique ténu que l'État observe de loin sans jamais intervenir. Il demande des rapports (rapport Petsche, rapport de Carmoy) qui se noient dans les sous-commissions parlementaires. En mars 1939, une loi de réorganisation du cinéma français a été déposée sur le bureau de la Chambre des députés par le dernier gouvernement issu du Front populaire déjà désuni. Trop tard.

Il est étonnant que ce cinéma pauvre, désorganisé, mal aimé, ait produit, entre 1934 et la guerre, la poignée de films qui porta très haut une image du cinéma français, image qui garde, plus d'un demi-siècle après, un prestige immense. Il le doit aussi, pour une part non négligeable, au rôle qu'y a joué, de 1932 à la défaite, une immigration à tous égards enrichissante. Il y avait eu les Russes de Montreuil. Il y a maintenant les proscrits de l'Europe centrale et des studios allemands qui fuient le régime nazi. Certains (Billy Wilder, Fritz Lang) ne restent en France que le temps d'un film et gagnent Hollywood. D'autres, comme Max Ophuls, y restent jusqu'à la défaite. Ce ne sont pas seulement des metteurs en scène. On y trouve aussi, surtout peut-être, des techniciens, décorateurs et opérateurs (Curt Courant, Eugène Schufftan) qui apportent leur maîtrise des éclairages noirs, apprise sur les plateaux de Babelsberg. Ce sont eux qui, du *Quai des brumes* au *Jour se lève*, donneront sa couleur (sombre) à l'atmosphère Carné.

3. LE DÉPASSEMENT DU THÉÂTRE FILMÉ

Avant d'aborder la question du ou des réalismes de l'avant-Deuxième Guerre, il faut faire une place à deux cinéastes qui l'un et l'autre viennent du théâtre et inventent chacun une conjugaison originale du cinéma.

Marcel Pagnol a rencontré le cinéma sur les plateaux de la Paramount de Joinville : le patron américain de l'entreprise, Robert T. Kane, avait souhaité donner à son usine à films une caution intellectuelle et «parisienne» en la dotant d'un «comité littéraire» composé d'une brochette de personnalités qu'on dirait aujourd'hui médiatiques. Pagnol, tout auréolé du succès que remportaient à Paris ses pièces marseillaises, fut invité à en faire partie. Au lieu de se limiter aux mondanités que sa charge impliquait, il a passé beaucoup de temps sur les plateaux et dans les ateliers de Joinville à s'initier au nouvel outil. Il y a croisé un Hongrois exilé qui deviendra le pilier de la renaissance du cinéma britannique, Alexandre (Sandor) Korda, qui a porté à l'écran son *Marius* avec les comédiens qui l'avaient tenu sur les planches pour plus de mille représentations. On est en 1931, Pagnol observe, réfléchit, théorise, et tire de l'exemple américain l'idée qu'il ne sera un cinéaste libre que s'il contrôle toute la chaîne de production. Il est riche et fait construire son propre studio et ses laboratoires à Marseille. Dès 1933, son *Jofroi* est une expérience passionnante de tournage en plein air (dans le vent provençal qui fait à l'occasion ronfler les micros). Il influencera le Renoir de *Toni*, tourné sur ses terres et avec son appui technique. Pagnol alterne ensuite des tournages en studio, adaptations de nouvelles ou de pièces de théâtre dont il est l'auteur, et des films terriens, tournés eux dans des extérieurs rudes :

Angèle et *Regain* (d'après Giono) sont les deux réussites majeures de ce cinéma à la fois passéiste dans la morale qui le sous-tend et novateur dans sa forme.

Le cas de **Sacha Guitry** est encore plus singulier. Il avait réalisé en 1915 un film consacré aux gloires intellectuelles de la France, *Ceux de chez nous*, documentaire qui s'inscrivait dans l'effort de propagande de la France en guerre. Mais il a ensuite manifesté un mépris écrasant pour le cinéma parlant : «Parmi les ennemis de l'art dramatique, le plus dangereux peut-être est à mon sens le cinématographe.» Et soudain, en 1935, il dirige deux films en quelques semaines. Dix autres suivront avant la défaite de 1940. Il intègre avec plus d'habileté que d'innocence la parole (sa parole) au film : ses films sont moins des dialogues de théâtre qu'un discours à la première personne qui structure la chaîne d'images. *Le Roman d'un tricheur*, ou *Les Perles de la couronne* sont caractéristiques de cette manière brillante. Le cinéma de Guitry, dont la modernité n'a vraiment été reconnue que quarante ans après, marque l'apogée d'un esprit boulevardier propre à Paris (le même esprit anime en mineur Yves Mirande, scénariste et dialoguiste, réalisateur à l'occasion de quelques films réussis, de *Baccara* à *Derrière la façade*), qui disparaîtra avec la guerre.

4. RÉALISMES

Si le cinéma français des années trente est un iceberg, le courant que les contemporains et les historiens ont retenu comme «réaliste» n'en est que l'infime partie émergée. Sous l'eau, c'est le domaine confus de la comédie, du théâtre filmé déjà évoqué, des adaptations littéraires, des aventures exotiques et coloniales. Les budgets sont insuffisants, les scénarios médiocres, la mise en scène plate. Seuls les acteurs, souvent prisonniers d'une image que le public populaire réclame, en font à l'occasion l'intérêt. En 1934 et 1935, quelques-uns de ces films faciles se chargent de l'idéologie dominante : un rien d'antisémitisme, le parfum délétère des scandales, voire l'antiparlementarisme et, dans les cas les plus pointus, l'appel à un pouvoir musclé qui remettrait de l'ordre dans la maison. Dans *Jérôme Perreau* d'Abel Gance, le protagoniste interprété par Georges Milton, héros fictionnel du Paris frondeur de 1648, s'adresse au jeune Louis XIV, mais parle en réalité au spectateur de 1935 qu'il regarde dans les yeux, cadrage de télévision avant la lettre : «On dit que le Français ne peut pas supporter la poigne d'un chef. Ce n'est pas vrai, Sire, ça dépend uniquement du chef. Mais qu'il en vienne un qui nous aide à sortir le char du bourbier, qu'il nous prenne par la main et nous conduise sur le chemin du travail, de la paix et de la justice, et toute la France le suivra en chantant…» C'est l'époque où le polémiste Gustave Hervé publie le volume qu'il a intitulé *C'est Pétain qu'il nous faut*. Gance et son Perreau n'ont que cinq ans d'avance.

Aux élections de 1936, la victoire d'une majorité de Front populaire éloigne ces velléités fascisantes. Les années qui suivent voient l'apogée du courant réaliste. Ses racines sont profondes. Dans les films d'Antoine, dans des séquences de ceux de Delluc ou d'Epstein, dans les documentaires des jeunes cinéastes de 1928, on croisait ce regard sensible aux êtres ordinaires, à l'homme de la rue (de la rivière ou du canal) et à la lumière qui l'enveloppait. Au début du parlant, des films comme *Cœur de Lilas*, déjà cité, ou *Dans les rues* (tourné entre Ivry et Paris par l'Allemand Victor Trivas, encore un) magnifient un Paris populaire, celui des tramways et des guinguettes, celui des lourds tombereaux qui cahotent sur les pavés des quais.

D'abord documentariste provocant de *À propos de Nice*, puis poète écorché de *Zéro de conduite* (interdit par la censure en 1933, le film ne sera autorisé qu'en 1945), **Jean Vigo** réalise *L'Atalante* avec de grandes difficultés, dans l'hiver 1933-34. Une histoire d'amour et de tendresse à bord d'une péniche, un film fait de notations brèves, de gestes, de regards, d'objets, d'éclats de lumière saisis par la caméra apparemment désinvolte de Boris Kaufmann. Un mélange d'étrange et d'élégiaque singulier, entre autres parce qu'il tourne le dos à la veine littéraire qui triomphera dans le meilleur du cinéma de l'avant-guerre. Vigo est en avance, trop en avance. La GFFA, qui l'a produit, massacre son film avant de le sortir. *L'Atalante* ne sera reconnu comme un des sommets du cinéma français que des années plus tard, grâce aux ciné-clubs. Jean Vigo est mort en 1934. Il a été un météore, il a inventé un cinéma différent, resté sans postérité pendant plus d'un quart de siècle.

Jean Vigo

«Le Monsieur qui fait du documentaire social est ce type assez mince pour se glisser dans le trou d'une serrure roumaine, et capable de tourner au saut du lit le Prince Carol en liquette, en admettant que ce soit un spectacle digne d'intérêt. Le Monsieur qui fait du documentaire social est un bonhomme suffisamment petit pour se poster sous la chaise du croupier, grand dieu du Casino de Monte-Carlo, ce qui, vous pouvez me croire, n'est pas chose facile.

Ce documentaire social se distingue du documentaire tout court et des actualités de la semaine par le point de vue qu'y défend nettement son auteur.

Ce documentaire social exige que l'on prenne position car il met les points sur les i.

S'il n'engage pas un artiste, il engage du moins un homme. Ceci vaut bien cela...

Et le but sera atteint si l'on parvient à révéler la raison cachée d'un geste, à extraire d'une personne banale et de hasard sa beauté intérieure ou sa caricature, si l'on parvient à révéler l'esprit d'une collectivité d'après une de ses manifestations purement physiques.»

Présentation de *À propos de Nice* (1931), in Jean Vigo,
Œuvre de cinéma, L'Herminier.

Le «réalisme» de la fin de la décennie ne lui doit rien. Codé, recensé, authentifié par un demi-siècle d'éxégèse savante, c'est un cinéma complètement fabriqué, un cinéma tout d'artifice.

Le jour se lève, film emblématique s'il en est de ces années trente depuis les analyses magistrales qu'en a faites André Bazin, est un film entièrement tourné en studio : tout y est reconstruction géniale d'une architecture banlieusarde repensée — «quintessenciée» — par le décorateur Alexandre Trauner. Ce décor est magnifié par la lumière artificielle distribuée par le chef-opérateur Curt Courant. Le scénario est construit en chaîne de flash-backs par Jacques Viot : le temps diégétique du film tient en une nuit, entre deux coups de feu. Le premier est tiré, le soir, par Jean Gabin qui tue le maître chanteur Jules Berry dans une chambre d'hôtel, le second, au petit matin, est le suicide de Jean Gabin, qui n'a pas quitté la chambre. Toute la nuit, ses souvenirs ont afflué, et nous ont dit comment il en est arrivé là. Sur ce scénario intervient un dialoguiste, personnage clé spécifique au cinéma français de ces années-là. Jacques Prévert met dans la bouche des protagonistes ses mots de poète, des formules qui frappent, des assonances, un parler de lettré écrit aux mesures des comédiens choisis par Marcel Carné : Gabin, Arletty, Berry, qui tous savent placer ses répliques avec un immense talent. Réalisme certes, mais sans effet de réel.

Ce réalisme, surqualifié de poétique, ou de fantastique par Pierre Mac Orlan, devient en 1938 et 1939, quand l'échec du Front populaire et la glissade vers la guerre sont perçus comme inéluctables, franchement dépressif. Jean Gabin, le héros populaire par excellence, meurt à la fin de *Pépé le Moko* de Duvivier, à la fin de *Quai des brumes* et du *Jour se lève* de Carné et Prévert, et de *La Bête humaine* de Renoir. Les bateaux partent sous une fumée noire comme un crêpe de deuil, laissant sur le quai luisant de pluie les amours impossibles et le triomphe morbide des mouchards et des salauds. C'est la «chienne de vie» de Prévert ou, comme on le dira deux générations plus tard, le «*no future*».

Le mouvement a commencé dès 1933, avec des films de **Jacques Feyder** (*Le Grand Jeu*, ou le romanesque morbide de la Légion étrangère) ou de **Julien Duvivier** (*La Tête d'un homme*, d'après Simenon). Feyder a tourné ensuite *Pension Mimosas*, dans la même veine, Duvivier *La Bandera* (autre histoire de légionnaires), puis *La Belle Équipe* et *Pépé le Moko*. Réalistes aussi Pierre Chenal (*Le Dernier Tournant*) ou l'Allemand Robert Siodmak (*Mollenard*).

Au sommet, **Jean Grémillon** avec *Gueule d'amour* (Gabin et Mireille Balin, une histoire d'amour qui se termine tragiquement, une autre manière d'éliminer Gabin) et *L'Étrange Monsieur Victor*. Ces deux films ont été tournés à Berlin (cette première collaboration franco-allemande, commencée avec les doubles versions de 1929, a duré jusqu'à la veille de la guerre, au printemps 1939). Lorsque la guerre éclate, Grémillon a commencé en Bretagne le tournage de *Remorques*, avec le couple phare du cinéma français de l'époque, Michèle Morgan et Jean Gabin. Terminé avec des moyens de fortune pendant l'Occupation, *Remorques* ne sort qu'à la fin de 1941.

Marcel Carné, qui s'est formé au cinéma de fiction en assistant Feyder, a dirigé ses premiers films en 1936 et 1937 : *Jenny*, puis *Drôle de drame* — ce dernier étant sans doute plus un film de Jacques Prévert qu'un film de Carné. Avec *Quai des brumes*, le metteur en scène s'affirme, la collaboration entre les deux hommes s'équilibre et donne une des œuvres les plus visitées du cinéma français, la réalisation rigoureuse et exigeante soutenant le texte brillant du poète. Un dialogue plus clinquant (de Henri Jeanson) habille ensuite *Hôtel du Nord* et fournit à son tour sa moisson de «mots» aux amateurs de citations cinématographiques. Pour *Le jour se lève*, nous l'avons vu, Carné retrouve Prévert. Ils signent ensemble un des films les plus noirs d'une période noire : *Le jour se lève* sort le 17 juin 1939.

Enfin, **Jean Renoir**. Ces six années sont l'apogée de sa carrière, il les a préparées, expérimentant les possibilités du parlant et cherchant à inventer un cinéma qui intègre un naturalisme issu des longs métrages muets de Stroheim (on en trouve la trace dans *La Chienne*, en 1931), et un goût du spectacle, une théâtralisation élargie au tournage en extérieurs. *Madame Bovary* (sorti au début de 1934) est une production des éditions Gallimard, qui avaient caressé le projet de créer un département cinéma. Renoir y joue sur le son et sur le cadre, occultant une partie de l'écran pour concentrer l'action dans un espace plus serré. Cette même année 1934, il tourne *Toni* (une histoire forte d'immigré italien) dans des extérieurs proches de Marseille, film où d'aucuns ont légitimement vu un ancêtre de ce que sera, dix ans plus tard, le néo-réalisme en Italie (un jeune Milanais est stagiaire sur le plateau, Luchino Visconti).

Jean Renoir

«[...] Une autre différence entre *Toni* et le néo-réalisme italien est mon utilisation du son. J'ai la passion de l'authenticité du son. Je préfère un son mauvais techniquement, mais enregistré en même temps que l'image, à un son parfait, mais rajouté. Les Italiens n'ont aucune considération pour le son, ils doublent tout [...]. Dans *Toni*, le bruit du train arrivant en gare de Martigues est non seulement un vrai bruit de train, mais il est le son même du train que l'on voit sur l'écran.

Toni, tourné avec de petits moyens, marquait l'aboutissement de mes rêves de réalisme intransigeant. J'y voyais la parfaite défaite du mousquetaire et des héros de mélodrame. Comme je me trompais. Tout en croyant tourner une lamentable aventure puisée dans la vraie vie, je racontais, presque malgré moi, une déchirante et poétique histoire d'amour.

Toutes les scènes du film se situaient soit en extérieur, soit dans des intérieurs réels. Les acteurs, sinon tous des amateurs, étaient au moins des gens du Midi. Leur accent méridional était aussi authentique que le paysage de Martigues qui servait de support au film. Pour la première fois de ma vie, il me semblait avoir écrit un scénario dont les éléments se complétaient naturellement, non pas tellement par l'intrigue que par une sorte d'équilibre naturel [...]. Je ne me contentais plus d'un monde qui ne serait que l'habitat d'individus sans lien entre eux. Dans *Toni*, je me suis appliqué à faire des panoramiques qui relient clairement les personnages entre eux et à leur environnement.»

Ma Vie et mes films, Flammarion, 1974.

Le Crime de Monsieur Lange (1935-36) est la charnière entre la saison anarchisante de Renoir (*La Chienne, Boudu sauvé des eaux*) et sa saison militante qui le rapproche des communistes. Tourné avec Prévert et le groupe Octobre, *Lange*, antibourgeois et anticlérical, exalte une coopérative proudhonienne, et rêve d'un unanimisme fondé sur l'élimination (facile) de l'infâme. C'est généreux, chaleureux, mais un peu court. Assurément, c'est politique. Au printemps de 1936, avant les élections, Renoir supervise un film de propagande destiné à la campagne du parti communiste, *La vie est à nous*, auquel sont associés ses principaux collaborateurs, notamment Jacques Becker.

Entre 1936 et 1939, Renoir dirige six films. Seul des six, *Les Bas-fonds*, pourtant prix Louis Delluc en 1937, est une œuvre mineure. Les autres sont une chaîne de chefs-d'œuvre, dans lesquels le cinéaste insuffle sa puissante humanité. *Une partie de campagne*, d'après Maupassant, est un bouleversant poème d'amour, sensualiste et navré, un film sur le bonheur, le vent dans les peupliers, le chant d'un rossignol, les gouttes de pluie qui agacent la surface de la rivière : Renoir, à l'instar des peintres impressionnistes, travaille sur le motif, sur les rives du Loing. L'air passe, avec une grande générosité, *Une partie de campagne* est habité d'un immense appétit de vivre.

La Grande Illusion, puis *La Marseillaise* sont deux films dans lesquels Renoir s'engage. Le premier à titre personnel : il a vécu la guerre de 14-18, il est de ces anciens combattants que le grand massacre a convaincu qu'il était inconcevable que «ça» recommence ; en même temps, il reste fasciné par une tradition militaire d'un autre âge, enfin il s'inquiète des nouveaux bruits de bottes qui parviennent de l'autre côté du Rhin. *La Grande Illusion* est pacifiste, nostalgique et troublé. Dans *La Marseillaise*, l'engagement est collectif. C'est le film du Front populaire, dont Renoir est l'instrument et le héraut. Jean Renoir est volontariste ; en 1938, il condamne le pessimisme de Carné et de Prévert qui suinte du *Quai des brumes*. Quelques mois plus tard, il tourne *La Bête humaine*, sa version de la mise à mort de Jean Gabin. Empruntés à Zola, ses personnages sont prisonniers d'un destin mauvais qui les condamne à la chute. Renoir n'y croit plus, lui non plus.

C'est le 7 juillet 1939 que *La Règle du jeu* sort sur les Champs-Élysées ; il ne reste que plus que huit semaines de paix. Renoir l'a tourné dans l'angoisse. C'est son chef-d'œuvre. Une comédie qui vire inexorablement au drame, peut-être à la tragédie et qui prend acte d'une série de ruptures dans l'ordre social. Le massacre des lapins dans la campagne solognote, même s'il n'est pas la préfiguration des combats inégaux du printemps 1940, traduit le basculement dans la violence stupide d'une société qui a trop triché avec les sentiments. La règle du jeu n'a pas été respectée, le jeu était pipé. La fin du monde est proche. Au moins la fin d'un monde, la fin des années trente.

Pendant les huit mois de la «drôle de guerre» (septembre 1939 à mai 1940), le cinéma continue à produire. La censure militaire a banni des écrans le Renoir de *La Règle du jeu* comme le Carné de *Quai des brumes*, parmi des dizaines d'autres films jugés trop démoralisants. La distribution privilégie des films héroïques, militaires (*Trois de Saint-Cyr*), ou colo-niaux (*Brazza ou l'épopée du Congo*), cependant qu'un documentaire de propagande répond évidemment par un oui assuré à la question posée par son titre, *Sommes-nous défendus ?* En cinq semaines, du 10 mai au 14 juin, les *panzer* hitlériens lui apporteront un cruel démenti.

5. LE CINÉMA OCCUPÉ : LES STRUCTURES

Cinématographiquement, l'été 1940 est une saison blanche. De la mi-juin à la fin octobre, il ne se passe rien. Production arrêtée, exploitation para-lysée, d'abord par les opérations militaires et l'exode des civils, puis par le lent retour à une situation peut-être stabilisée, mais certainement pas normalisée : le territoire national est amputé, divisé en deux zones, l'une occupée par les armées allemandes qui y exercent un strict contrôle admi-nistratif, l'autre, dite «libre», placée sous l'autorité d'un pouvoir de fait installé à Vichy, dont la marge de décision est réduite. L'activité écono-mique est désorganisée, plus de deux millions d'hommes sont prisonniers en Allemagne.

On sait que le régime de Vichy, mis en place par un vote de ce qui reste du parlement de la troisième République, confie les pleins pouvoirs au maréchal Pétain, le 10 juillet 1940. Une loi du 16 août prévoit la créa-tion d'un comité d'organisation dans chaque secteur industriel. Le cinéma est donc doté d'un Comité d'organisation des industries du cinéma, ou COIC, dont la compétence est définie par un texte du 26 octobre et quelques décrets d'application. Tout se passe dans une étrange urgence : les civils perdus de l'été 1940 ne sont pas rentrés chez eux que le cinéma est déjà figé dans un cadre rigide.

Bien que vichyste, la loi du 26 octobre 1940 est un tournant crucial dans l'histoire du cinéma français. Pour la première fois, le pouvoir encadre l'industrie et le commerce du film. La loi de 1940 prend en compte une partie de la réflexion conduite dans les années trente sur la nécessité d'imposer des règles administratives à une profession qui poussait loin les facilités permises par le libéralisme de mise depuis les premières initiatives de Charles Pathé. Le COIC fait passer une série de décisions : la création de la carte professionnelle, l'interdiction du double programme, qui favorise la production du court métrage, la mise en place d'un système d'avances à la production, dont l'effet a été presque immédiat. Il est aussi à l'origine de la création de l'IDHEC (Institut des hautes études cinématographiques), ancêtre de la FEMIS, qui ne fonctionnera à Paris sous la direction de Marcel L'Herbier qu'aux premiers jours de 1944.

Le COIC a eu, pendant les années de guerre, puis indirectement après la guerre en générant le Centre national de la cinématographie (CNC) créé en 1946, une action certes technocratique, mais incontestablement positive, en imposant notamment aux milieux professionnels des habitudes neuves de rigueur financière.

Le régime de Vichy a un autre visage, moins honorable. C'est celui de la censure paterne et bornée qu'exercent les autorités françaises, et qui s'ajoute à celle établie par les services de la propagande allemande dans la zone occupée jusqu'en novembre 1942, et après cette date sur l'ensemble du territoire. C'est surtout celui d'un antisémitisme institutionnalisé qui plonge ses racines au moins autant dans la tradition de l'extrême-droite française, ravivée par les années trente, que dans les injonctions de l'occupant. Le statut des Juifs, signé par Pétain le 3 octobre 1940, leur interdit (entre autres) l'exercice des professions en rapport avec l'industrie du cinéma. Dès la déclaration de guerre en 1939, nombre de Juifs étrangers qui travaillaient dans le cinéma français avaient été internés dans des camps français ou avaient dû quitter le territoire. La législation nouvelle contraint les Juifs français à la fuite ou au silence de la clandestinité. Le cinéma est ainsi privé de nombreux talents. Si l'on y ajoute ceux qui sont prisonniers et ceux qui ont fait le choix de quitter une France qu'ils jugeaient insupportable (parmi les plus notoires, Jean Renoir, René Clair, Julien Duvivier, Max Ophuls sont aux États-Unis, comme Jean Gabin ou Michèle Morgan ; Pierre Chenal et Louis Jouvet sont en Amérique Latine), c'est à une véritable hémorragie de créateurs que l'on assiste. Le cinéma français de 1941 est mutilé ; il entre pourtant dans une période (brève) qui est une des plus prospères, sinon des plus fastueuses, de son histoire.

L'explication de ce paradoxe est simple, et double. D'abord la grisaille de l'époque, la difficulté à voyager, la rareté des autres divertissements poussent massivement les spectateurs vers les salles qui ont, accessoirement, quelques autres avantages : elles sont chauffées en hiver, et, au moins jusqu'à ce que les polices, l'allemande et la française, y opèrent des rafles, elles sont discrètes. De l'automne 1941 à l'automne 1943, les cinémas des grandes villes atteignent des coefficients de remplissage exceptionnels. Ensuite la disparition des écrans des films anglais, puis américains, ces derniers interdits par l'autorité allemande en 1941 et 1942. Finie, pour trois ans, la concurrence de Hollywood. Les spectateurs ont le choix entre les films allemands, quelques films italiens et les films français. Même s'ils n'ont pas boudé autant qu'on l'a dit les comédies et les films d'aventure des studios berlinois et viennois, ce sont principalement les films français qui ont profité de ce public captif. Le seul marché national permettait d'amortir des films coûteux et de mettre en chantier des films à très gros budget. *Les Enfants du Paradis*, commencé à Nice en 1943 en coproduction avec l'Italie, en est l'exemple le plus achevé. Cette prospérité profite aux firmes françaises (les sociétés nouvelles Pathé et Gaumont évoquées plus haut), mais aussi aux entreprises allemandes installées en France, dont la plus active a été la Continental, société de droit français créée dès octobre 1940 sous l'autorité d'un homme du métier qui avait bien connu les cinéastes français expatriés dans les studios berlinois pendant les années trente, le Dr Alfred Greven. La Continental est une entreprise allemande qui doit produire en France des films français pour le public français. Non pas tant pour diffuser l'idéologie nazie que pour fournir les devises nécessaires à l'économie de guerre du Reich. La Continental est responsable de trente des deux cent vingt films mis en chantier en France occupée.

6. LE CINÉMA OCCUPÉ : LES FILMS

On a longtemps identifié le «cinéma de Vichy» aux deux cent vingt longs métrages en question, dont la liste a été publiée dans la revue corporative *Le Film* (sous contrôle allemand) le 1er juillet 1944 — on se battait alors en Normandie. Or cette liste enregistre les films à la date du premier jour de tournage. En réalité, dans la France occupée, sortent d'abord des films commencés avant la défaite et acceptés par la censure de Vichy, comme *L'Empreinte du Dieu* de Léonide Moguy qui est un grand moment d'idéologie maréchaliste, mais aussi comme *Remorques* de Jean Grémillon, qui sort longtemps après que ses vedettes, Jean Gabin et Michèle Morgan, se sont retrouvées à Hollywood. De la même manière, les vingt-cinq derniers films de la liste du *Film*, tout juste commencés en juin 1944, feront les beaux soirs du cinéma libéré en 1945 et 1946.

Le cinéma de Vichy n'est pas vraiment spécifique. S'agissant de cinéma de fiction, c'est un fleuve lent qui prend sa source dans le cinéma de la troisième République finissante, et se jette sans chutes ni rapides dans celui de la quatrième. Si une dizaine de longs métrages produits surtout dans la zone non occupée et projetés pendant ces quatre ans diffusent en effet l'idéologie réactionnaire et cléricale des cercles vichyssois, le pourcentage n'en est pas plus élevé que dans les années 1934-1940. La singularité de ce cinéma n'est pas dans un «plus» qui serait une injection de pensée de droite dans le corps meurtri du cinéma français, mais dans une série de «moins» qui concernent des hommes (tués, prisonniers, interdits ou réfugiés à l'étranger) ou des idées de gauche, que ce soit le volontarisme de 1936 ou l'anarchisme désespéré de 1938. Ablation aussi du présent au profit d'un temps que la grammaire ne reconnaît pas : le contemporain vague, qui conserve les signes neutres ou superficiels du présent (la carrosserie des voitures, la mode), mais en bannit les aspérités : de Decoin à Becker, on a souvent tourné dans Paris occupé, sans que jamais la caméra ne saisisse un uniforme allemand, ou une de ces pancartes à lettres noires que la Wehrmacht avait généreusement dispensées aux carrefours de la ville au point que leur image, aujourd'hui, signifie l'Occupation comme la tour Eiffel signifie Paris. Le réel (l'Allemand, la guerre, les restrictions, la Résistance évidemment) est aboli.

Le cinéma de Vichy conjugue donc ce contemporain vague, mais lui préfère le passé : le XIXᵉ siècle encore proche (Pétain est né en 1856), prétexte à l'exaltation de l'orgueil national (*La Symphonie fantastique* de

Christian-Jaque, *Pontcarral* de Jean Delannoy) autant qu'à la reconstitution de fêtes nostalgiques, ou le Moyen Âge (*Les Visiteurs du soir* de Carné et Prévert) comme espace d'évasion.

7. LE CINÉMA OCCUPÉ : LES HOMMES

Les «denrées coutumières» tournées dans la France occupée sont généralement de peu d'intérêt : des comédies, beaucoup de comédies (le populaire Fernandel apparaît dans quatorze films entre 1940 et 1944), drames mondains mais aussi drames ruraux (le prototype pourrait en être *Monsieur des Lourdines*, d'après un roman d'Alphonse de Chateaubriant, un des grands noms de la collaboration, réalisé par Pierre de Hérain, qui était cinéaste et beau-fils de Philippe Pétain) lourds de cette culpabilité qu'inspiraient les idéologues du régime. Les metteurs en scène sont surtout des tâcherons qui s'abritent derrière les injonctions d'une censure qui délivrait un premier visa (dit de production) avant le premier tour de manivelle.

Pourtant, la proportion de films remarquables, et même de grands films, est plutôt plus élevée que dans les années d'avant-guerre. L'absence de quelques-uns des cinéastes phares des années trente laisse du champ à ceux qui sont restés, et permet à d'autres, qui piaffaient depuis des années pour accéder à la maîtrise des caméras, de débuter dans des conditions somme toute satisfaisantes ou confortables.

À la première catégorie appartiennent d'abord des cinéastes qui se sont sentis à l'aise dans le nouveau régime. **Sacha Guitry** est du nombre, qui demeure dans ces années généralement noires une des vedettes de la vie mondaine — où se mêlent les tenues de soirées des célébrités parisiennes et les uniformes des officiers allemands dans des lieux qui ignorent généralement les restrictions. Il tourne trois films entre 1941 et 1944. Il est dépassé, dans l'adhésion explicite au régime de Vichy, par **Marcel Pagnol** qui rend hommage à Pétain dans *La Fille du puisatier*, et surtout par **Abel Gance** dont la *Vénus aveugle* sort en avant-première, en mai

1941, devant le tout-Vichy avec cette dédicace : «C'est à la France que j'aurais voulu dédier ce film, mais puisqu'elle s'est incarnée en vous, monsieur le Maréchal, permettez que très humblement je vous le dédie.»

On y croise aussi des cinéastes qui, sans s'engager, ont continué à travailler, comme **Jean Grémillon**. Après avoir terminé *Remorques*, il tourne deux grands films, *Lumière d'été* (un des rares films de l'Occupation où apparaissent des ouvriers, saisis sur le chantier de construction d'un barrage), sorti en 1943, puis *Le ciel est à vous*, sorti en février 1944, salué avec le même enthousiasme par la presse clandestine de la Résistance (Georges Sadoul), et par la presse collaborationniste (Georges Blond). Grémillon, cinéaste de gauche, proche des communistes, a chargé son film de son volontarisme personnel, ou de celui de cette contre-société militante qui montait en puissance au sein de la société apparente, et qui allait triompher quelques mois plus tard.

Carné et **Prévert** continuent aussi, sans donner de gages au pouvoir (en revanche, ils donnent du travail aux proscrits Trauner et Kosma, le premier dessinant les décors, l'autre écrivant la musique des *Visiteurs du soir* et des *Enfants du Paradis* — sans en être évidemment crédités). Carné, en 1940, avait refusé les offres de la Continental et avait été traîné dans la boue par la presse collaborationniste (Lucien Rebatet : «Les faubourgs lépreux et brumeux qui lui servent de cadre n'exhalent que des sentiments sordides, de fielleuses revendications. Ses héros sont de médiocres assassins, des candidats au suicide, des souteneurs, des filles, des entremetteuses...»). Il réalise donc *Les Visiteurs du soir* et *Les Enfants du Paradis*, deux films qui sont restés parmi les plus populaires du cinéma français, pour le producteur André Paulvé et, après le désistement forcé de la firme italienne Scalera l'été 1943, par Pathé-Cinéma. Le premier sort en décembre 1942, le second après la Libération, au printemps de 1945.

Jean Delannoy ou **Louis Daquin** (le premier, longtemps assistant, avait tourné son premier film personnel en 1939, le second, ancien assistant de Grémillon sur ses films tournés à Berlin, et proche comme lui du parti communiste clandestin, débute en 1941 avec *Nous les gosses*) sont parmi les metteurs en scène les plus actifs de ces quatre années. De Delannoy, outre un *Pontcarral* dont la métaphore résistante est indéniable, on retiendra surtout le très controversé *Éternel Retour*, d'après un scénario de Jean Cocteau qui lui-même s'inspire du mythe de Tristan et Iseult : des Français, qui y avaient lu un message d'espoir en 1943, furent, en 1946, stupéfaits de lire les critiques britanniques en dénoncer le message lourdement allemand et l'«atmosphère gothique pestilentielle», assimilant le héros à une «idéalisation de la jeunesse hitlérienne». De Daquin, des films policiers, et un *Premier de cordée* à l'héroïsme également ambigu. **André Cayatte**, ancien avocat, débute lui aussi dans les années de guerre : il tourne trois films sages (adaptations de Balzac, Zola et Maupassant) et en commence un quatrième entre 1942 et 1944, tous pour la Continental.

Restent quatre grands cinéastes, qui débutent dans ce cinéma occupé, qui lui apportent un authentique sang neuf et dont l'influence se prolongera longtemps après la libération. Ils ont en commun de n'être pas des hommes jeunes. Hors Jean Vigo, il y a eu peu de jeunes cinéastes dans les quarante premières années du cinéma français... Ils ont été assistants, ont tourné des versions françaises de films allemands ou américains ; ils ont été, dans l'ombre, le domestique d'un scénariste prestigieux ou l'équipier d'un réalisateur débordé. Ils ont passé trente-cinq ans quand ils abordent leur premier film personnel.

• **Claude Autant-Lara**, né en 1901, a tout fait avant la guerre ; c'est lui qui a expérimenté en 1925 l'*hypergonar*, qui deviendra le Cinémascope en 1953. Il a travaillé aux États-Unis, tourné un premier film personnel en 1933 avec Jacques Prévert (*Ciboulette*), puis réalisé des films qu'il ne signait pas pour l'entrepreneur de spectacles Maurice Lehmann. En 1942, il a une grande expérience du métier, mais pas de nom. En deux ans et trois films conjugués au passé (*Le Mariage de Chiffon, Lettres d'amour* et surtout *Douce*, un chef-d'œuvre de méchanceté froide et saine à travers un regard impitoyable sur une société bloquée que, prudemment, il situe au temps où monsieur Eiffel construisait sa tour), il se pose, avec son scénariste Jean Aurenche, comme un des grands du cinéma français.

• **Jacques Becker**, né en 1906, a fait partie de l'équipe de Jean Renoir au temps du Front populaire. En 1939, il avait commencé un premier film qu'un autre a achevé. C'est en 1942 qu'il fait ses vrais débuts, avec un film policier dans ce qu'on croit être encore le goût américain, *Dernier Atout*. Suivent *Goupi mains rouges* en 1943 et, en 1944, *Falbalas* — qui sortira après la libération de Paris. Le premier est un drame rural peu conforme à l'idéalisation de la vie paysanne dans l'imaginaire vichyste, le second installe sa fiction dans les milieux brillants de la haute couture parisienne. De film en film, Becker est plus assuré, plus maître de son regard : minutie réaliste et surtout élégance d'une mise en scène fondée sur un sens rigoureux de l'espace définissent un style.

• **Henri-Georges Clouzot**, né en 1907, a aussi passé dix ans dans les besognes obscures de l'industrie du film, à Paris et à Berlin. En 1941, il écrit un scénario pour Henri Decoin, *Les Inconnus dans la maison*. Puis il réalise deux films pour la Continental : *L'assassin habite au 21* (1942) et *Le Corbeau* (1943). L'univers de Clouzot, en 1943, a une forte odeur de pourri : il est, de tous les cinéastes « de Vichy », celui qui a su le mieux restituer le climat de l'époque, les petitesses, la peur, la délation, les lâchetés quotidiennes. On le lui a reproché à la Libération, lui faisant une mauvaise querelle sur l'usage « antifrançais » que les nazis auraient fait de son *Corbeau*. L'information était fausse, la disgrâce de Clouzot n'en a pas moins duré trois ans. En 1945, il était plus facile d'aimer les « cœurs ardents et simples » des héros positifs du *Ciel est à vous* que les « tordus » et les pervers des *Inconnus dans la maison* ou du *Corbeau*. Grémillon en 1943 était optimiste, Clouzot ne l'était pas.

• **Robert Bresson** enfin, né en 1901, a été un bricoleur impatient des années trente, réalisateur en 1934 d'un moyen métrage burlesque qui brocardait un dictateur pas complètement improbable, *Les Affaires publiques* (il a longtemps considéré comme perdu, la Cinémathèque française en a retrouvé une copie en 1986). Son premier film personnel, *Les Anges du péché*, fait l'effet d'un coup de tonnerre en juin 1943. C'est un film catholique (Bresson en a écrit le scénario avec le R.P. Bruckberger) qui prend à rebrousse-poil les bondieuseries de l'époque, les prélats chamarrés qu'on voyait aux actualités accueillir et bénir le vieux Maréchal. C'est un film subtil et cruel, ciselé dans un noir et blanc qui se souvient des peintres du XVIIᵉ siècle. En juin 1944, Bresson a commencé le tournage des *Dames du bois de Boulogne* qui sortira quinze mois plus tard dans une France libérée, presque en paix, mais aux prises avec des difficultés économiques tragiques.

8. APRÈS LA GUERRE : RECONSTRUIRE LE CINÉMA

La libération progressive du pays, entre juin 1944 et mai 1945, puis la paix, ouvrent une période d'enthousiasme et d'incertitudes dans le champ du cinéma comme dans toute la vie sociale. «Le cinéma est aussi une industrie.» André Malraux, l'auteur de cette évidence dérangeante, devient ministre de l'Information en charge du cinéma à la fin de 1945. Il découvre, et ses successeurs après lui, que le cinéma est surtout un commerce, et le lieu d'une bataille aux dimensions de la planète pour contrôler le marché des films.

Août 1944, Paris est libéré. Le gouvernement provisoire nomme Jean Painlevé, biologiste, cinéaste et résistant, Directeur général du cinéma, mais maintient en place le COIC à peine épuré. L'activité cinématographique est pratiquement suspendue sur tout le territoire : coupures d'électricité, salles et studios fermés ou détruits. Le cinéma français est sinistré. L'analyse de la situation, dressée par un Comité de libération du cinéma qui sort de la clandestinité, est sans ambiguité. L'autarcie de l'Occupation a fait illusion. Le matériel, les plateaux, les laboratoires, quand ils n'ont pas été mis hors d'usage par faits de guerre, sont vétustes : leur équipement date du passage au parlant.

La question de la reconstruction se pose pendant deux ans à l'intérieur d'une alternative (politique) simple : le cinéma de la France libérée se reconstruira-t-il sous le contrôle de l'État (on évoque une nationalisation, totale ou partielle, et de larges secteurs de la profession crient déjà au dirigisme) ou à l'initiative de cette profession dont les différentes branches (producteurs, distributeurs, exploitants) ont des intérêts divergents, sinon contradictoires.

C'est le 26 octobre 1946 que la loi portant création du Centre national de la cinématographie (CNC) paraît au *Journal officiel*. Elle entre en vigueur dans les premiers jours de 1947, après la parution de divers textes techniques et la nomination d'un premier directeur général, Michel Fourré-Cormeray. Le CNC, dont l'activité régente toujours la vie cinématographique française près d'un demi siècle plus tard, est défini comme un établissement public, doté de l'autonomie financière. Il encadre le cinéma sur le plan législatif et réglementaire sous l'autorité d'un ministre (à l'origine celui de l'Information, plus tard celui de l'Industrie, enfin, depuis 1959, le ministre de la Culture), il contrôle ses finances, aide la production et la diffusion des films. Il est prévu que le CNC sera financé par des subventions de l'État, et par des cotisations professionnelles.

Le 24 septembre 1948, le *J.O.* publie le texte de la première loi d'aide à l'industrie cinématographique. L'aide, qualifiée de «temporaire» en 1948, est destinée aux producteurs de films français et aux exploitants de salles, elle est alimentée par un fonds d'aide, qui deviendra plus tard compte de soutien, lui-même approvisionné principalement par la Taxe spéciale additionnelle (TSA) perçue sur la vente des tickets d'entrée dans les salles. C'est le directeur du CNC qui est désigné comme ordonnateur des opérations, recettes et dépenses de ce fonds.

Deux ans plus tôt, il avait fallu régler à chaud la difficile question des relations franco-américaines. Les maîtres de Hollywood avaient en portefeuille la production de six années, amortie sur les marchés anglo-saxons, mais inédite en France pour cause d'occupation, et attendue avec une grande impatience par les spectateurs français. En 1944, l'armée américaine avait apporté dans ses fourgons quelque dizaines de films doublés. Puis plus rien. Les négociations ont traîné jusqu'au printemps 1946, jusqu'au célèbre «arrangement» Blum-Byrnes, signé à Washington le 28 mai, qui instituait un quota de quatre semaines par trimestre où les salles devaient impérativement projeter des films français. Cet accord, plus technique que politique, a été vivement attaqué en 1947 et 1948. Il ne méritait pas l'opprobre ou la diabolisation dont on l'a accablé : pendant plus d'un an, il a joué un rôle d'abri protecteur, au moment précis où le cinéma français était trop fragile pour affronter la concurrence. Les exploitants ont rechigné, le film français était moins rentable que celui qui venait, à bon marché, d'outre-Atlantique ; les communistes, ensuite, en ont fait un enjeu de la guerre froide. Les producteurs, en revanche, ont trouvé le quota insuffisant, jusqu'à l'automne de 1948. Une révision de l'accord Blum-Byrnes, qui étendait le quota à cinq semaines, et surtout la loi d'aide, les ont apaisés. En 1953, lorsqu'est publiée la deuxième loi d'aide, le contentieux franco-américain n'est plus vraiment d'actualité.

Entre-temps s'est mise en place une nouvelle pièce du puzzle. Après une première tentative expérimentale en 1946, la France et l'Italie ont signé, le 21 février 1949, un accord sur les coproductions qui étend aux films coproduits par les deux pays le bénéfice des avantages consentis aux films nationaux français et italiens. L'accord de 1949 fait plus que doubler l'espace d'amortissement des films «lourds» français. En poussant Fernandel dans la soutane de Don Camillo, ou Gina Lollobrigida dans les bras de Fanfan la Tulipe, et en mêlant les francs et les lires, il assure une relative prospérité au cinéma de la «Qualité française».

Intégrons au paysage cinématographique ce qui aurait dû être la troisième loi d'aide et qui, pour cause de changement de République (en 1958), a pris la forme du décret Malraux du 19 juin 1959 : il complète l'aide automatique aux films par une aide sélective, l'avance sur recettes est en germe. Et résumons. La création du CNC et les lois d'aide, la normalisation des relations avec les Américains et la création d'un marché cinématographique élargi d'abord à l'Italie ont posé les bases dans l'immédiat après-guerre de ce qu'on appelle aujourd'hui le «mode de production français» : un compromis souple entre l'économie libérale et le dirigisme étatique, une formule mixte pilotée à vue par le CNC qui a, au moins, assuré la survie d'un cinéma national jusqu'aux années quatre-vingt-dix.

Controversé dans le quotidien de son fonctionnement, ce mode de production est vite devenu consensuel dans son principe. La résistance du cinéma français à l'érosion que toutes les cinématographies européennes ont connue après 1980 est la preuve ultime de sa pertinence.

Continuellement amendé, adapté à la nouvelle réalité (le rôle des chaînes de télévision dans la diffusion massive des films est intégré dans l'alimentation du compte de soutien à partir de 1984 — une taxe sur les recettes des sociétés de télévision y fait entrer autant d'argent que la TSA, pénalisée par la chute de la fréquentation des salles), il sera en arrière-plan de toute l'activité cinématographique évoquée dans la dernière partie de cet ouvrage.

9. DE L'APRÈS-GUERRE AUX ANNÉES CINQUANTE

Schématiquement, on peut décrire la douzaine d'années qui séparent le redémarrage du cinéma français, confirmé par les succès remportés dans les festivals européens de 1947, des premières manifestations de la Nouvelle Vague en 1958, en la plaçant sous le signe de la continuité.

Le cinéma de la quatrième République est frileux. Il est corseté par une censure qui s'échauffe dès qu'un film aborde l'actualité : les difficultés économiques, les séquelles de la guerre, la guerre froide, la guerre d'Indochine, puis celle qui commence en Algérie, la décolonisation en général, la décomposition du système politique. Cette censure est effi-cace. Elle suscite chez les cinéastes et plus encore chez leurs producteurs un réflexe d'autocensure : à quoi bon se battre, prendre des risques, pour évoquer, même métaphoriquement, le présent conflictuel, si le film doit être ensuite mutilé ou interdit...

Jean Grémillon

«La production et la circulation des films n'obéit apparemment pas à d'autres lois que celles qui réglementent la production et la circulation des denrées en vue d'un profit.

Peut-on alors penser que la forme d'un film, qui est d'abord un spectacle, est un moyen d'aller au fond des choses, c'est-à-dire de porter un témoignage valable sur son temps ?

À vouloir confronter cette idée avec la réalité, on s'exposerait à quelques mécomptes et à de redoutables comparaisons entre ce qui est et ce qu'on souhaite.

La condition du moment semble être d'accepter ou non de s'insérer dans des conditions économiques déterminées et de tenter de les plier — et en cas de refus de se suicider sur le plan artistique. Une sortie par l'ironie ou le cynisme, valeurs de défense, est sans doute plus apparente que réelle.

La liberté du créateur est donc limitée exactement à la conscience qu'il peut avoir du régime qu'il subit et à la volonté de tourner les tabous.

L'impossibilité quasi absolue d'aborder un certain nombre de sujets et de questions du domaine moral ou social participe d'une "ligne de défense" bien plus profonde que la politesse, par exemple, qui exclut à peu près les mêmes sujets. Dans le "maintien de l'ordre", la censure sociale qui s'exerce sur le cinéma joue un grand rôle.

Des raisons d'ordre commercial, à elles seules, peuvent expliquer l'existence de cette machine à distribuer la stupeur ou l'oubli qu'est devenu tout un cinéma que nous connaissons bien. On parle quelquefois d'un cinéma de propagande. Cette propagande-là paraît beaucoup plus pressante et consciente. Elle correspond, à coup sûr, à une nécessité inconsciente de protection et de défense d'un ordre social déterminé.

[...] Nos producteurs et nos distributeurs enchaînés à ce système de défense par la réussite financière (qui tient plus d'ailleurs des miracles de Lourdes que d'une méthode rigoureuse) en sont à la fois les esclaves et les instruments conscients. C'est déplorable pour eux et surtout pour le cinéma. Leur désarroi devant les complications actuelles est parfaitement justifié. Mais c'est aussi leur condamnation, car on n'a jamais vu des "hommes de l'art" abdiquer aussi continûment toute volonté réelle d'en sortir. Ils sont pris dans un réseau de contradictions dont la première est sans doute leur existence.»

In *Action,* n° 129, 21 mars 1947.

Il est frappant de comparer une histoire, sommaire, de la période avec une description de ce qu'a été son cinéma. Hors quelques courts ou moyens métrages produits par le parti communiste ou par les syndicats et contraints à une circulation clandestine ou «parallèle», hors quelques éclats dans des films de Clouzot, de Becker, d'Autant-Lara ou de Duvivier, le cinéma français se tient prudemment à bonne distance de la réalité française. Le milieu cinématographique (la profession, toujours la profession) s'en accomode assez facilement. Par pusillanimité, ou par corporatisme. Jusqu'au milieu des années cinquante, le cinéma français qui s'est protégé après la Libération par une réglementation malthusienne (imposant un cursus compliqué d'assistanats pour accéder au droit de créer), se renouvelle peu, et ne se renouvelle qu'à l'intérieur de la tribu. Les «jeunes cinéastes», pas plus de deux ou trois par saison, sont généralement des quadragénaires, à l'image de Marcel Camus dont la presse salue les débuts de réalisateur courageux en 1957 (son premier film porte sur la guerre d'Indochine, qui n'est terminée que depuis trois ans, *Mort en fraude* ; son deuxième film, *Orfeu negro*, sera Palme d'or à Cannes deux ans plus tard). En 1957, Marcel Camus, né en 1912, qui a été assistant de Becker, de Decoin et d'Alexandre Astruc qui a dix ans de moins que lui, a quarante-cinq ans.

«L'utilisation mercantile des épisodes romanesques ou pathétiques fournis par la Résistance n'est pas seulement opportunisme commercial, c'est pure indécence.» C'est dans *Action*, un hebdomadaire issu de la Résistance, proche du parti communiste, qu'on pouvait lire ces lignes à la fin de 1945. Hors quelques films dont les plus notoires sont *La Bataille du rail*, réalisé par René Clément en 1945 et 1946, semi-documentaire (il a été tourné avec la participation active de cheminots qui lui apportent une forte charge de réalité), et peut-être *Jéricho* de Henri Calef (1946), fiction héroïque inspirée de l'authentique évasion des détenus de la prison d'Amiens bombardée par la RAF, la veine «résistancialiste» du cinéma français n'a pas été exploitée bien longtemps. Il y eut encore moins de films sur la guerre ; globalement elle n'avait pas été glorieuse, et elle est vite devenue une source de légitimité et un enjeu pour les deux oppositions qui marquaient à gauche et à droite les pouvoirs fragiles de la quatrième République, les communistes et de Gaulle. Or le cinéma de la quatrième est un cinéma du pouvoir, consensuel et centriste à plus de 90 %. Rideau de fumée donc, pendant dix ans, sur la collaboration et le marché noir, après quelques évocations sarcastiques dans *Les Portes de la nuit* (Carné et Prévert, 1946), ou *Manon* (Clouzot, 1948), et en attendant *La Traversée de Paris* (Autant-Lara, 1956), qui brisera le tabou.

Dans *Les Portes de la nuit* ou *Manon*, c'est le réalisme morbide ou féroce du *Jour se lève* et du *Corbeau* qui se survit dans l'après-guerre.

C'est un réalisme proche qu'on retrouve chez l'un des rares «jeunes» (avec René Clément) à s'affirmer dans le long métrage après la Libération, **Yves Allégret**. Entre 1947 et 1952, il réalise, en collaboration avec le scénariste Jacques Sigurd, quatre films que la critique du temps, qui ne faisait pas dans la nuance, étiquette «existentialistes», et qui ne sont en réalité que la continuation du pessimisme noir de 1938 : *Dédée d'Anvers, Une si jolie petite plage, Manèges* et *La Jeune Folle. Dédée d'Anvers,* c'est un autre *Quai des brumes,* on a changé de port, Simone Signoret et Marcello Pagliero remplacent Michèle Morgan et Jean Gabin, c'est toujours la mort du héros sur les pavés où glissent silencieusement les vélos des dockers, la pluie froide, la trahison, en un mot, la chienne de vie… Avant-guerre, après-guerre, la même lassitude. L'après-guerre a pourtant apporté deux choses : une nouvelle génération de comédiens, Simone Signoret, Gérard Philipe, Madeleine Robinson, et une lumière différente, les rues d'Anvers sont différentes des rues du Havre, on tourne plus volontiers en extérieurs. Yves Allégret n'est pas un cas singulier : les cinéastes de 1950 ne répugnent pas à sortir du studio pour poser leur caméra sur un vrai trottoir.

La France n'a pas eu son néo-réalisme, elle a ignoré la révolution (affaire de pauvreté, de technique, d'esthétique, de morale, de vision politique) qui bouleverse au même moment la part vive du cinéma italien. En 1949 pourtant, Marcello Pagliero, collaborateur de Rossellini puis, on l'a vu, acteur d'occasion pour Yves Allégret, a tourné pour le producteur Sacha Gordine *Un homme marche dans la ville,* un film dont l'action était située dans le milieu des dockers du Havre. Intrigue contemporaine dans un milieu populaire vrai, extérieurs réels (les docks et les cales, la ville en ruines) et, pour le tournage, l'appui de la CGT. Le film terminé, les syndicalistes le désavouent avec une grande violence : Pagliero montre des ouvriers alcooliques et grossiers, il fait donc le jeu de l'ennemi de classe. La presse communiste appelle au boycott du film, les distributeurs prennent peur et le retirent du marché. *Un homme marche dans la ville* est un film mort-né, et avec lui l'espoir d'un cinéma différent. Il reste dans ses boîtes, jusqu'à sa réhabilitation par la Cinémathèque française en 1986.

Si l'on admet que ce cinéma de la reconstruction est un cinéma bloqué, qu'il innove peu, qu'il est soumis au pouvoir presque dictatorial des vieux maîtres, et si on ne lui demande que ce qu'il peut donner, le bilan alors n'est pas négatif. Ce cinéma qu'on a qualifié avec quelque mépris de « cinéma de la Qualité » a privilégié le travail d'artisans au détriment du travail d'artistes, il n'a pas eu de frange pionnière ou expérimentatrice (ou si peu…), il a continué, comme pendant l'Occupation, à trop aimer les films conjugués au passé, les adaptations de romans : de *La Chartreuse de Parme* de Stendhal (Christian-Jaque, 1947, coproduction franco-italienne avec Gérard Philipe), à *Le Rouge et le Noir* (Autant-Lara, 1954, coproduction franco-italienne avec Gérard Philipe), Balzac, Zola ou Maupassant, et les biographies héroïques d'artistes ou de médecins (*Docteur Laënnec* de Maurice Cloche, 1948, ou *D'homme à hommes* de Christian-Jaque, la même année).

Les grands anciens sont toujours sur la brèche. **Jean Grémillon**, qui a tourné en 1945 un chef-d'œuvre absolu, *Le Six Juin à l'aube*, évocation lyrique de la Normandie massacrée, et n'a pas pu, pour des raisons plus politiques qu'économiques, mener à bien son grand projet de 1948, *Le Printemps de la Liberté*, fait du Grémillon (*L'Amour d'une femme* en 1954). **Guitry** fait du Guitry avec de gros moyens dans des évocations toutes personnelles de l'histoire (*Le Diable boiteux* en 1948 à propos de Talleyrand, *Si Versailles m'était conté* en 1953, *Napoléon* en 1954). **Pagnol** fait, en mineur, du Pagnol. Les exilés reviennent au pays. **Renoir**, devenu citoyen américain, tourne ponctuellement en France, le superbe *French cancan* en 1954, une évocation émue du Paris de la Belle Époque, puis *Éléna et les hommes*. **René Clair**, à Paris dès 1946, entame une seconde carrière française avec *Le silence est d'or* (autre évocation de la même Belle Époque, avec cette singularité que le film est une coproduction franco-américaine, Pathé et RKO), puis *La Beauté du diable* et *Les Belles de nuit*. **Duvivier**, de *Panique* (1946) à *Pot-Bouille* (1957), en passant par l'excellente *Fête à Henriette* (1952, sur un remarquable scénario de Henri Jeanson qui joue avec les possibles du cinéma) et les deux premiers *Don Camillo* qu'il dirige en Italie, est un des réalisateurs les plus actifs de ces douze ans.

Claude Autant-Lara l'est presque autant (onze films entre 1945 et 1958). C'est alors un cinéaste marqué à gauche : il préside le syndicat CGT des techniciens du film et pèse de tout son poids dans la lutte contre les accords Blum-Byrnes, puis contre la censure. Ses qualités d'écriture et de causticité font en 1947 le succès du *Diable au corps* et lui confèrent une image d'auteur de combat, anarchisant, contempteur des valeurs patriotiques et religieuses, qui le marque pour des années. Calligraphe sûr de ses moyens et de son équipe (les scénaristes Jean Aurenche et Pierre Bost, le décorateur Max Douy), il s'illustre avec *Occupe-toi d'Amélie* (1949), *L'Auberge rouge* (1951), *La Traversée de Paris* et *En cas de malheur* (1958), où il réunit en cette année charnière les acteurs fétiches de deux époques, Jean Gabin et Brigitte Bardot.

René Clément est l'autre cinéaste en qui se reconnaît la quatrième République. Né en 1913, il a réalisé des courts métrages dès 1937 et pendant l'Occupation. Il passe au long métrage avec *La Bataille du rail*. Huit films suivent jusqu'à 1958. Techniquement impeccables, ils sont régulièrement salués par la critique et glanent les récompenses dans les festivals : *Les Maudits, Au-delà des grilles* (coproduction tournée en Italie), *Le Château de verre*, *Jeux interdits*, *Monsieur Ripois* (en Angleterre), *Gervaise*. La cohérence de cette liste n'est pas dans une thématique (ou une morale), mais dans la qualité (la Qualité ?) du style et peut-être dans une certaine froideur du regard. Des producteurs aux comédiens en passant par des techniciens du décor, des éclairages, du cadre et du montage, tous concourent à la lisibilité et à l'élégance de récits romanesques. Effectivement, c'est cela, le cinéma de la Qualité.

Sous ce haut de gamme prestigieux, prospère un cinéma populaire qui est à la fois cinéma d'acteurs et cinéma de genres. Le public du samedi soir, plus nombreux que jamais dans les premières années cinquante (jusqu'à 1957, la fréquentation des salles françaises est de l'ordre de 400 millions de spectateurs annuels), se divertit aux comédies «de» Fernandel et Bourvil, ou aux parodies de films noirs construites autour d'Eddie Constantine, aux récits pata-historiques (*Caroline chérie* de l'inusable Richard Pottier, en 1951, a été l'un des plus gros succès de la décennie), ou aux policiers que tournent des cinéastes qui ne sont pas sans qualités, comme Henri Decoin ou Gilles Grangier. Avec Christian-Jaque, on atteint un cinéma plus spectaculaire, généralement coproduit avec l'Italie, dont le toujours célèbre *Fanfan la Tulipe* de 1952 est l'exemple le plus achevé.

Pourtant, c'est toujours dans les marges qu'œuvrent les cinéastes les plus singuliers et les plus inventifs. Ceux qui échappent au poids, alors écrasant, de la norme. En désordre, et en restant dans le champs du long métrage, ce sont, après **Georges Rouquier** dont le *Farrebique*, consacré à Cannes en 1946, est un admirable document tourné au rythme des saisons sur une communauté rurale du Rouergue, Henri-Georges Clouzot et Jacques Becker, Max Ophuls, Jean Cocteau, Jean-Pierre Melville, Robert Bresson, Jacques Tati. Ceux dont les noms, quarante ans après, viennent souvent en premier à l'esprit quand on évoque ces années mal aimées.

Henri-Georges Clouzot, remis en selle en 1947 par *Quai des orfèvres* (techniquement un des plus beaux films du cinéma français), reste de *Manon* à *La Vérité*, en passant par le sketch qu'il a tourné en 1949 pour *Retour à la vie*, un créateur personnel dont la noirceur, la vision désespérée qu'il donne de l'humanité dépassent le seuil de tolérance du cinéma de la Qualité. Il ne s'en écarte que le temps du *Mystère Picasso*, en 1956, un travail fascinant qu'il mène avec le peintre pour en saisir le geste créateur. En 1953, *Le Salaire de la peur*, qui n'est pas son film le plus original, reçoit la Palme d'or à Cannes et devient un énorme succès populaire. *Les Diaboliques* en 1955, puis *Les Espions* en 1957 exploitent son image de cinéaste de l'inquiétant.

Jacques Becker, entre 1946 et 1953, tourne quatre comédies (*Antoine et Antoinette*, *Rendez-vous de Juillet*, *Edouard et Caroline*, *Rue de l'Estrapade*) qui composent, ensemble, la chronique la plus juste et la plus tendre de l'après-guerre. Les scénarios sont ténus, prétextes à des variations sentimentales délicates — seul *Rendez-vous de Juillet* a une prétention sociologique qui en fait un document, élégant et vaguement amusé, sur la jeunesse de Saint-Germain-des-Prés. *Casque d'Or*, réalisé en 1952, avec Simone Signoret et Serge Reggiani, est une chronique des bas-fonds parisiens du début du siècle, où Becker donne vie à une galerie de personnages dont la justesse psychologique prend constamment le pas sur la composante folklorique. En 1954 enfin, *Touchez pas au grisbi* inaugure la veine «série noire» du cinéma français, au rythme détendu par le souci d'humaniser les héros d'un roman (très daté) d'Albert Simonin.

Max Ophuls tourne quatre films entre 1950 (*La Ronde*) et 1955 (*Lola Montès*). Quatre films à l'écriture savante, baroque sinon précieuse. Ophuls est le cinéaste du mouvement qui enveloppe la vie, du temps en boucle, de l'émotion discrètement contenue aussi, que sa caméra enchantée saisit comme fortuitement. *Lola Montès*, film coûteux qu'on a qualifié d'oratorio flamboyant, est un échec commercial qui précipite la fin du cinéaste. Max Ophuls meurt en 1957.

Jean Cocteau (qui avait une première fois abordé le cinéma autour de 1930 avec *Le Sang d'un poète*) revient à la mise en scène et tourne cinq films entre *La Belle et la Bête* (1946) et *Le Testament d'Orphée* (1959). Brillants et paradoxaux, irritants parfois, ses films lui ressemblent. Cocteau aime séduire et étonner, et le cinéma lui en donne les moyens. Son expérience cinématographique est de celles qui aident ses contemporains à préciser la notion d'auteur.

Robert Bresson, qui termine ses *Dames du bois de Boulogne* en 1945, ne réalise que deux films pendant les douze années de la quatrième République, *Journal d'un curé de campagne* en 1950, et surtout *Un condamné à mort s'est échappé* en 1956. Cinéma exigeant, hautain, soucieux d'une forme libérée des codes narratifs forgés au début du parlant, imposant à ses acteurs, dont il souhaite qu'ils n'aient eu aucune activité de comédien avant de le rencontrer, une atonie apparente qui irrite ou fascine, et qui rend aux objets, à la lumière, au son (aux bruits) une intensité dramatique inédite. Bresson, en 1951 : «Ce que je cherche, ce n'est pas tant l'expression par les gestes, la parole, la mimique, mais c'est l'expression par le rythme et la combinaison des images, par la position, la relation et le nombre. La valeur d'une image doit être avant tout une valeur d'échange.» Et en 1957 : «Il y a une image, puis une autre qui ont des valeurs de rapport, c'est-à-dire que ces images sont neutres et que, tout à coup mises en présence l'une de l'autre, elle vibrent, la vie y fait irruption : et ce n'est pas tellement la vie de l'histoire, des personnages, c'est la vie du film. »

Jacques Tati enfin. Semblable (quant à l'exigence), et évidemment différent, il réinvente un comique keatonien, minimaliste, fondé sur une observation rigoureuse et amusée d'un comportement humain qu'il gauchit à peine pour en tirer l'effet (géométrique) qu'il désire, dans *Jour de fête* (1949), *Les Vacances de Monsieur Hulot* (1953) et *Mon Oncle* (1958). Tati s'invente un *alter ego*, monsieur Hulot, qui promène sa grande silhouette et sa pipe dans une station balnéaire petite bourgeoise ou dans les banlieues saisies par la modernité (c'est l'aube des trente glorieuses), rêveur intègre incapable de s'intégrer, maladroit génial qui bouscule les rites et les mécaniques.

10. Cinéphilie et compagnie

On ne comprendrait rien aux années cinquante, et surtout à celles qui vont suivre, en se bornant à décrire la fabrication et la diffusion des films. Pour les raisons évoquées plus haut, c'est la continuité qui domine le gros de la production française entre 1930 et 1958. Mais le public, à tout le moins sa frange activiste, vit, lui, après la guerre, une petite révolution culturelle. Il devient, au fil des années, assez nombreux pour peser sur le statut social du septième art. Le phénomène a un nom : la cinéphilie.

Le mouvement prend sa source dans les projets de culture populaire esquissés à la fin des années trente. Il s'enrichit des plans, voire des utopies, conçus dans la nuit de l'Occupation et formulés par la Résistance. Il prend sa forme, la paix revenue, dans les ciné-clubs qui se multiplient dès 1946 : ciné-clubs de ville, d'établissement scolaire, d'entreprise, regroupés dans une demi-douzaine de fédérations reconnues et soutenues par le CNC. Au ciné-club, on voit le film autrement, on le légitime comme fait culturel.

Des hebdomadaires (*L'Écran français* paraît à l'air libre dès juillet 1945) et des revues (la prestigieuse *Revue du cinéma*, qui avait eu une existence éphémère sous l'égide de Gallimard entre 1928 et 1931, reparaît de 1946 à 1949) encadrent le mouvement. En 1951 paraît le premier numéro des *Cahiers du cinéma*, en 1952 celui de *Positif*, autour desquels bouillonnent des publications plus fragiles ou les revues des fédérations de ciné-clubs, *Image et son* ou *Cinéma*. La salle de la Cinémathèque française, rue de Messine puis rue d'Ulm, attire les parisiens et excite l'imagination des provinciaux. Un public s'invente, qui justifie la multiplication des salles labellisées «Art et Essai». On écoute, on lit et on discute Roger Leenhardt et André Bazin, Alexandre Astruc, puis François Truffaut et Ado Kyrou. L'été 1949, la fleur de la cinéphilie parisienne fait le voyage de Biarritz pour un festival du film maudit, patronné par Jean Cocteau, où les polémiques tournent à l'affrontement à propos du film américain ou de la politique des auteurs.

Dans le numéro de janvier 1954 des *Cahiers du cinéma*, Truffaut publie le brûlot intitulé «Une certaine tendance du cinéma français», véhément et excessif, qui instruit le procès du cinéma de la Qualité, attaquant avec la même fougue le réalisme psychologique hérité des années trente, la primauté des scénaristes-dialoguistes et le goût immodéré des cinéastes pour les adaptations d'œuvres littéraires. Il voue aux gémonies ce qu'il appelle «un cinéma anti-bourgeois, fait par des bourgeois pour des bourgeois», et salue l'audace hors norme de Renoir, Becker, Cocteau ou Bresson.

François Truffaut

«De l'adaptation telle qu'Aurenche et Bost la pratiquent, le procédé dit de **l'équivalence** est la pierre de touche. Ce procédé suppose qu'il existe dans le roman adapté des scènes tournables et intournables et qu'au lieu de supprimer ces dernières (comme on le faisait naguère), il faut inventer des scènes **équivalentes**, c'est-à-dire telles que l'auteur du roman les eût écrites pour le cinéma.

[...] Tout désignerait donc Aurenche et Bost pour être les auteurs de films **franchement** anticléricaux, mais comme les films de soutanes sont à la mode, nos auteurs ont accepté de se plier à cette mode. Mais comme il convient — pensent-ils — de ne point trahir leurs convictions, le thème de la profanation et du blasphème, les dialogues à double entente, viennent çà et là prouver aux copains que l'on sait l'art de "rouler le producteur" tout en lui donnant satisfaction, rouler aussi le "grand public" également satisfait.

[...] On me dira : "Admettons qu'Aurenche et Bost soient infidèles, mais nierez-vous aussi leur talent... ?" Le talent, certes, n'est pas fonction de la fidélité, mais je ne conçois d'adaptation valable qu'écrite par un **homme de cinéma**. Aurenche et Bost sont essentiellement des littérateurs et je leur reprocherai ici de mépriser le cinéma en le sous-estimant. Ils se comportent vis à vis du scénario comme l'on croit rééduquer un délinquant en lui trouvant du travail, ils croient toujours avoir "fait le maximum" pour lui en le parant des subtilités, de cette science des nuances qui font le mince mérite des romans modernes. [...] En vérité, Aurenche et Bost affadissent les œuvres qu'ils adaptent, car l'**équivalence** va toujours soit dans le sens de la trahison, soit de la timidité. Voici un bref exemple : dans *Le Diable au corps* de Radiguet, François rencontre Marthe sur le quai d'une gare, Marthe sautant, en marche, du train. Dans le film, ils se rencontrent dans l'école transformée en hôpital. Quel est le but de cette **équivalence** ? Permettre aux scénaristes d'amorcer les éléments antimilitaristes ajoutés à l'œuvre de concert avec Claude Autant-Lara.

[...] Le trait dominant du réalisme psychologique est sa volonté anti-bourgeoise. Mais qui sont Aurenche et Bost, Sigurd, Jeanson, Autant-Lara, Allégret, sinon des bourgeois, et qui sont les cinquante mille nouveaux lecteurs que ne manque pas d'amener chaque film tiré d'un roman, sinon des bourgeois ?

[...] À force de répéter au public qu'il s'identifie aux "héros" des films, il finira bien par le croire, et le jour où il comprendra que ce bon gros cocu aux mésaventures de qui on le sollicite de compatir (un peu) et de rire (beaucoup) n'est pas comme il le pensait son cousin ou son voisin de palier mais LUI-MÊME, cette famille abjecte SA famille, cette religion bafouée SA religion, alors ce jour-là il risque de se montrer ingrat envers un cinéma qui se sera tant appliqué à lui montrer la vie telle qu'on la voit d'un quatrième étage à Saint-Germain-des-Prés. »

«Une certaine tendance du cinéma français», in *Les Cahiers du cinéma,*
n° 31, janvier 1954.

C'est pourtant ailleurs que le cinéma français frémit dans ces mêmes années : du côté du court métrage. La suppression du double programme (deux longs métrages projetés dans la même séance) par Vichy, confirmée dès la Libération par le gouvernement provisoire, a ouvert dans les salles de grandes plages pour les films courts, parfois deux ou trois par séance dans les cinémas populaires et en province. Un système de primes à la qualité, institué dans le cadre de la loi d'aide, motive quelques producteurs avisés qui investissent dans le court métrage d'auteur que les ciné-clubs diffusent intelligemment. **Alain Resnais**, **Georges Franju**, **Pierre Kast**, et plus généralement les réalisateurs de courts métrages associés après 1953 dans le «groupe des trente», sont familiers aux spectateurs bien avant 1958.

Enfin quelques aventuriers parviennent à rompre les barrières corporatives. **Jean-Pierre Melville** le premier, dès 1949, avec *Le Silence de la mer*, un film qu'il produit et réalise d'après le beau texte de Vercors qu'il a lui-même adapté. Après lui, **Alexandre Astruc** réalise un moyen métrage en 1953, *Le Rideau cramoisi*, puis un long en 1955, *Les Mauvaises Rencontres*. **Agnès Varda**, photographe, tourne à Sète, la même année, avec de tout petits moyens et un jeune acteur qu'elle emprunte au TNP de Jean Vilar, Philippe Noiret, un film dont Alain Resnais assure le montage, *La Pointe courte*. Après 1955, les jeunes réalisateurs sont plus nombreux à affronter l'épreuve du long métrage. En 1956, **Roger Vadim** étonne ou scandalise avec *Et Dieu créa la femme* qui érige Brigitte Bardot en symbole d'une liberté dans laquelle se reconnaît un public jeune qui a grandi dans les premières années de la société de consommation. *Et Dieu créa la femme* n'est probablement pas un grand film, mais c'est un signe. Il annonce la mutation imminente du cinéma, confirmée l'année suivante par une demi-douzaine de premiers films qui bénéficient de la prime à la qualité définie en 1955 pour soutenir des films difficiles ou ambitieux. **Louis Malle** réalise ainsi *Ascenseur pour l'échafaud* en 1957, Pierre Kast *Un amour de poche*, Jacques Baratier *Goha*.

LA NOUVELLE VAGUE, ET APRÈS

Festival de Cannes, 1959. C'est *Orfeu negro* de Marcel Camus qui remporte la Palme d'or, mais ce sont *Les 400 Coups* de François Truffaut et surtout *Hiroshima mon amour* de Alain Resnais qui déchaînent les passions. Deux films qui attirent l'attention sur la soudaine jeunesse du cinéma français, et qui justifient l'écho médiatique donné à l'événement : la **Nouvelle Vague** déferle sur l'hexagone avant d'étonner le monde.

1. UNE GÉNÉRATION COMPLEXE

Dès 1958, **Claude Chabrol,** comme Truffaut rédacteur aux *Cahiers du cinéma,* avait pu tourner deux films dans les marges du système, *Le Beau Serge* et *Les Cousins.* Quatre ans plus tard, *Les Cahiers,* dans un spécial « Nouvelle Vague», dressent la liste de cent quatre-vingt-douze « nouveaux cinéastes français», y incluant, il est vrai, quelques grands ancêtres dont Roger Leenhardt et Jean-Pierre Melville. Ils sont cependant quatre-vingt-dix-sept dont le premier film est effectivement sorti entre 1958 et 1962. Du jamais vu, une authentique révolution dans une profession si repliée sur elle-même depuis la fin de la guerre. Les barrières s'effondrent avec un fracas qu'une presse avide de changement répercute avec gourmandise.

En 1958, cette profession vieillissait. Max Ophuls est mort, Jean Grémillon et Jacques Becker n'ont plus que quelques mois à vivre. Renoir, Clair, Gance, Guitry, Pagnol sont de vieux messieurs en fin de carrière. Des dizaines de cinéastes de moindre importance sont dans le même cas. Ils ont formé depuis longtemps la génération qui doit leur succéder : longtemps assistants, des gens comme Edouard Molinaro, Claude Sautet, ou Michel Deville, voire Jacques Deray, Georges Lautner ou Pierre Granier-Deferre étaient les héritiers de droit des générations précédentes, dans un mode de production qui serait resté immuable. Il ne l'est pas resté. La brèche ouverte en 1958 et 1959 a laissé passer aussi ce qu'on peut appeler la génération du court métrage. Georges Franju (*La Tête contre les murs* en 1959, *Les Yeux sans visage* en 1960), Pierre Kast (*Le Bel Âge*, en 1960), et évidemment Alain Resnais.

Enfin la génération de la cinéphilie, qui s'est formée sur les fauteuils de la Cinémathèque française ou du Studio Parnasse, et qui s'est souvent exprimée dans les pages des *Cahiers du cinéma* ou de l'hebdomadaire *Arts*, passe à la réalisation dans la foulée de Chabrol, tantôt avec de l'argent personnel (Chabrol a lui-même produit *Le Beau Serge* grâce à un héritage), tantôt avec l'argent de producteurs amis qui faisaient le pari, peu coûteux tant les budgets étaient réduits, du cinéma de jeunes auteurs. Henry Deutschmeister, l'un des caciques de la profession à l'enseigne de la Franco-London Films, se rallie en abattant son jeu dans une déclaration à *Arts*, qui dit l'essentiel de la perception que le mouvement avait de lui-même :

«Tous les producteurs se réjouissent du succès des jeunes de cette Vague, parce qu'ils ont libéré le cinéma de ses chaînes.

«Ils l'ont libéré de l'équipe technique minima imposée par les syndicats.

«Ils l'ont libéré des difficultés administratives et financières pour tourner dans les rues, dans de vraies maisons, de vraies chambres, dans des décors naturels.

«Ils l'ont libéré des multiples censures qui ont une conception curieuse de l'art, de la morale, de la vie, de l'influence sur la jeunesse, du prestige d'une nation, etc.

«Ils l'ont libéré des exigences abusives des «anciens» pour entreprendre un film.

«Ils ont aussi libéré le cinéma du culte des vedettes et de la qualité technique.»

Deutschmeister n'est pas un philanthrope, pas plus que Georges de Beauregard (Rome-Paris Films), autre producteur vite convaincu, qui soutient Jean-Luc Godard, puis Jacques Demy, Agnès Varda, Pierre

Schoendoerffer, Jacques Rivette. Ils voient dans la Vague l'occasion d'en finir avec les pesanteurs corporatistes et techniques du cinéma de la Qualité.

L'évolution de la technique, en effet, entre aussi en compte. Même si le cinéma très professionnel des années cinquante était moins qu'on ne l'a dit confiné dans les studios, il demeurait tributaire d'équipes nombreuses et utilisait un matériel lourd, gros consommateur de kilowatts. Or à la fin de ces mêmes années, on trouve sur le marché des caméras légères, des pellicules plus sensibles qui permettent un tournage à la lumière du jour, on a la possibilité d'enregistrer un son synchrone de bonne qualité : tous éléments qui interviennent dans le tournage d'*À bout de souffle*, en 1959.

Pendant trois ou quatre ans, le cinéma bouillonne, invente, s'exalte, s'égare parfois. De l'équipe des *Cahiers* viennent donc Chabrol, Truffaut, Godard, Rohmer (*Le Signe du Lion*), Rivette (*Paris nous appartient*), et dans une veine plus littéraire, plus classique, leur aîné Jacques Doniol-Valcroze (*L'Eau à la bouche*). La Vague issue des *Cahiers* est attaquée par une partie de la profession, par quelques-uns des «vieux» cinéastes qu'elle a écartés avec un mépris explicite (Claude Autant-Lara et Marcel Carné en première ligne), et par des critiques engagés qui lui reprochent son apolitisme, son refus d'aborder le réel (on est en pleine guerre d'Algérie) et son insolence. Ce ne sont que péripéties. Très vite, en moins de deux ans, se dégagent des remous et de l'écume quelques cinéastes venus d'horizons différents qui apportent, chacun dans son registre, une autre conception du cinéma, un talent indéniable, parfois immense, et qui imposent une redistribution des rôles dans le grand paysage.

Ce qui ne signifie pas que le cinéma d'avant la Vague se soit effacé : le cinéma du samedi soir demeure prospère et inchangé (Fernandel tourne douze films entre 1959 et 1962, Jean Gabin en tourne huit). En 1969, il n'y a que 1 406 000 récepteurs de télévision recensés dans l'hexagone, le cinéma demeure le grand spectacle populaire, même si la fréquentation des salles est passée sous la barre des deux cents millions.

Le cinéma de la Qualité subit une érosion sensible. Après *En cas de malheur* qui demeure un film fort, Autant-Lara dirige précipitamment une série de produits médiocres (neuf films entre 1958 et 1963). Carné s'enlise dans les clichés des *Tricheurs* et de *Terrain vague.* René Clément ne démérite pas, mais n'innove pas non plus avec *Barrage contre le Pacifique* (en 1958), une lourde coproduction tournée d'après un roman de Marguerite Duras, puis *Plein Soleil* (en 1959), pour lequel il s'entoure de collaborateurs empruntés au cinéma des plus jeunes (le scénariste Paul Gégauff, le chef opérateur Henri Decae, l'un et l'autre révélés par les premiers films de Chabrol).

Les années 1959 et 1960 sont dominées par quatre films, dont deux sont liés au passé, et deux issus du mouvement. *Le Trou,* œuvre ultime de Jacques Becker (l'auteur de *Casque d'or* est mort depuis quelques semaines quand *Le Trou* sort sur les écrans) dont la rigueur fait l'admiration de la critique unanime, et *Pickpocket* de Robert Bresson, le plus austère et sans doute le plus révélateur de sa manière. En 1962, son *Procès de Jeanne d'Arc*, faux film d'histoire même si Bresson s'est fondé sur les minutes des deux procès du XVᵉ siècle, est une approche émotionnelle de l'héroïne, sculptée dans les gris de l'écran.

Les deux autres sont *Hiroshima mon amour* et *À bout de souffle.* **Alain Resnais** et **Jean-Luc Godard**. Resnais le scrupuleux, le méticuleux dont les cinéphiles attendaient depuis plus de quinze ans le passage au long métrage, Godard le forcené, l'imprévisible, le contradictoire. Resnais qui place entre ses films et lui une série de pare-feu pudiques, les voix de Marguerite Duras (*Hiroshima*), d'Alain Robbe-Grillet (*L'Année dernière à Marienbad*) ou de Jean Cayrol (*Muriel*, en 1963, son film le plus brûlant). Godard qui heurte, rompt, secoue, rue dans les brancards sans respect pour les règles du jeu — et qui sans doute exprime le mieux le malaise et la dérision d'une France où grandissent les enfants du baby-boom et de la cinéphilie.

Les premiers spectateurs d'*Hiroshima mon amour* cherchent dans le film, et y trouvent, la trace ouverte en 1955 par *Nuit et brouillard*, le court métrage que Resnais (avec Jean Cayrol) avait consacré à la mémoire des camps de la mort. *Hiroshima*, c'est la mémoire incandescente de la guerre, l'horreur du feu nucléaire mise en phase avec la douleur intime et longtemps inavouable d'une jeune française (de Nevers) coupable d'avoir aimé un soldat allemand. Cinéma qu'on a dit littéraire (il l'est : le beau texte de Marguerite Duras agit comme un contrepoint incantatoire aux travellings du cinéaste), mais aussi produit d'un formidable travail de montage, de collisions et de ruptures qui donne au film cette « douceur terrible » qu'évoquait Jacques Doniol-Valcroze.

Le choc d'*À bout de souffle* est d'une autre nature. Godard l'anxieux cherche à faire « différent » : « Un certain cinéma se termine, il est peut être clos, alors mettons le point final, montrons que tout est permis. » Il part d'une histoire conventionnelle, un scénario de série B que Truffaut lui a abandonné. Il tourne vite, beaucoup, au jour le jour, s'appuyant sur la virtuosité de son opérateur Raoul Coutard. Au montage, il coupe, raccourcit chaque plan, obtient au mépris des sacro-saints raccords qui sont enseignés comme un dogme dans les écoles de cinéma, un style syncopé, insolent, qui sera vite admiré comme novateur. *À bout de souffle* est le film qui secoue le cocotier, et qui fait de Godard, malgré lui, un chef d'école qui aura plus d'imitateurs maladroits que d'émules. Lui-même, conforté par le succès critique (*À bout de souffle* a été admiré et vilipendé, il a été d'emblée un événement, le *Hernani* de la Nouvelle Vague) et public de cette première œuvre, a pu tourner rapidement une série de films (six entre 1959 et 1963, et trois sketches qui s'inséraient dans des films collectifs — on appréciait ces films à sketches dans les années soixante) dont *Le Mépris* en 1963, une grosse coproduction franco-italienne où il dirige Fritz Lang, Jack Palance et Brigitte Bardot, et qui consacre à la fois son originalité et la maîtrise qu'on lui reconnaît.

Derrière Resnais et Godard gravitent quelques dizaines de cinéastes qui profitent de l'appel d'air, ou de l'intérêt soudain des producteurs confortés par la nouvelle aide sélective mise en place par le décret Malraux. Beaucoup feront trois petits tours (trois petits films) et s'en iront, on en retrouvera quelques-uns dans les studios de la télévision. D'autres, plus talentueux, dont les noms sont souvent déjà apparus au hasard des paragraphes qui précèdent, seront les cinéastes importants des années soixante et au-delà.

Après le grand succès de ses *400 Coups*, **François Truffaut** cherche un ton entre *Tirez sur le pianiste* (1960) et *Jules et Jim* (1962). Il le trouve dans un réalisme attentif, presque un classicisme, sensible aux émotions de l'adolescence et aux petits drames du désamour. **Claude Chabrol**, plus épais dans le trait et plus sarcastique dans le regard (*À double tour* en 1959, *Les Bonnes Femmes* en 1960) évolue vers un cinéma sage dans sa forme qui retrouve vite une parenté, voire une continuité avec la tradition narrative, romanesque, du cinéma français. De 1961 à 1968, Chabrol tourne beaucoup (onze titres et quelques sketches), des films mineurs. En 1959, on a rapproché du cinéma de Chabrol le premier film d'un ancien acteur, Jean-Pierre Mocky : *Les Dragueurs*.

Jacques Demy (il était entré en cinéma avant la Vague par des courts métrages sous l'influence de Georges Rouquier) se fraie un chemin solitaire et retrouve peut-être le meilleur du cinéma de Jean Cocteau. Il invente une poésie des attentes et des faux départs, sans désespérance, toute en délicatesse et en élégance : *Lola*, qu'il tourne à Nantes en 1961, est un film sans passé, une petite merveille. **Agnès Varda**, sensible à une réalité qu'elle sait rendre paradoxale, filme admirablement Paris dans *Cléo de 5 à 7* (en 1962).

En 1960 sortent *Les Jeux de l'amour* (produits par Claude Chabrol), le premier film de **Philippe de Broca**, puis l'année suivante *Le Farceur*, des comédies acidulées pleines de promesses qui ne seront pas toutes tenues. En 1961, on découvre *Ce Soir ou jamais*, une autre comédie toute en finesse signée de **Michel Deville** (il fait alors équipe avec la scénariste Nina Companeez, et est stupéfait de se voir enrôlé sous la bannière de la Nouvelle Vague). C'est aussi en 1960 que débute un autre ancien assistant, **Claude Sautet**, avec *Classe tous risques*, un policier conduit d'une main ferme. Ces mêmes années confirment le talent éclectique de **Louis Malle**, dont *Les Amants* avaient fait scandale au festival de Venise en 1958 pour des audaces qui deviendront vite anodines. Malle tourne en 1963 un de ses meilleurs films, *Le Feu follet*, transposant dans le présent l'angoisse existentielle d'un héros de Drieu La Rochelle. Un an plus tôt, un ancien assistant de Louis Malle, **Alain Cavalier**, avait réalisé un des rares films (avec *Le Petit Soldat* de Godard que la censure a retenu plusieurs années) à aborder le présent en n'en gommant pas les éléments conflictuels : *Le Combat dans l'île*, avec Romy Schneider et Jean-Louis Trintignant, parlait du terrorisme d'extrême droite (c'est le temps de l'OAS et des attentats contre de Gaulle), et opposait un jeune fasciste à un intellectuel de gauche sans doute trop beau pour être tout à fait vrai. En 1964, le second film de Cavalier, *L'Insoumis*, récidivait en évoquant les séquelles encore brûlantes de la guerre d'Algérie. Un an plus tard, Pierre Schoendoerffer, ancien correspondant de guerre, reconstituait une guerre d'Indochine crédible dans *La 317e section*.

À partir de 1965, allégorique avec Godard (*Made in USA, La Chinoise*), distancié chez Resnais (*La guerre est finie*, dont le scénario avait été écrit par Jorge Semprun), puis directement avec les documentaires tournés au Viêt-nam par **Joris Ivens** qui connaissent à la fois une diffusion «commerciale» dans les petites salles de la rive gauche, et une diffusion «parallèle» assurée par des groupes militants dans les universités, les MJC, les comités d'entreprises ou les foyers ruraux, un cinéma politique conjugué au présent touche des cercles de plus en plus larges de spectateurs motivés. En décembre 1967, *Loin du Viêt-nam*, long métrage en forme de manifeste contre la guerre américaine réalisé collectivement par cent cinquante techniciens du cinéma français dont Jean-Luc Godard, Joris Ivens, Chris Marker, Alain Resnais, Agnès Varda et même Claude Lelouch (ce jeune homme pressé, brillant cameraman, qui venait de remporter la Palme d'or à Cannes en 1966 pour *Un homme et une femme*), est présenté très officiellement au grand théâtre de Chaillot.

L'opposition des jeunes cinéastes (et plus généralement des intellectuels et des étudiants) à la guerre du Viêt-nam, l'obsession des armes et du napalm qui hante les films de Godard, n'indispose pas le pouvoir gaullien de 1966. C'est de Gaulle lui-même qui, dans son discours de Phnom Penh, avait stigmatisé la guerre «injuste, détestable». La censure laisse passer le discours politique. Elle est plus sensible (moins tolérante) en matière de mœurs ou de religion. Quelques «affaires» jalonnent l'histoire de la république gaullienne, celle des *Liaisons dangereuses* dès 1959 et 1960 (le film de Vadim est interdit dans une soixantaine de villes), ou celle de *La Religieuse*, en 1966, qui achève de discréditer l'institution : interdit par le ministre de l'Information, le film de Rivette n'en est pas moins sélectionné par le ministre de la Culture (André Malraux) pour représenter la France à Cannes. Généralement plus subtile, la censure frappe au portefeuille (refus d'aides ou d'avances qui découragent les producteurs) et dose ses menaces pour inciter les auteurs à limiter leurs audaces : l'autocensure est toujours une des plaies du cinéma français destiné au grand public.

C'est enfin dans ces années soixante qu'on fait grand bruit (études, colloques et numéros spéciaux de revues) autour du «cinéma vérité». L'étiquette est commode pour regrouper des expériences plus ou moins liées aux recherches ethnologiques, anthropologiques, sociologiques communes aux chercheurs américains, canadiens ou français. Caméras légères, pellicules sensibles et son direct trouvent dans ce domaine un usage particulièrement pertinent. On se passionne dès 1959 pour les films de **Jean Rouch** (*Moi un noir*, prix Louis Delluc en 1958), pour ceux de Mario Ruspoli (*Les Inconnus de la terre*, *Regards sur la folie*), pour *Chronique d'un été*, «un film d'ethnologie tourné à Paris», que Rouch réalise en 1961 avec Edgar Morin. C'est pourtant *Le Joli Mai*, que **Chris Marker** tourne à Paris en 1962, qui demeure le témoignage le plus saisissant sur l'époque : film de regard et de mémoire, film personnel et film politique sur une situation politique.

Dans *La guerre est finie* de Resnais, dans *La Chinoise* de Godard qui situe une partie de sa fiction sur le campus de Nanterre et fait dialoguer Anne Wiazemski avec le philosophe Francis Jeanson qui ne faisait pas mystère de son engagement depuis la guerre d'Algérie, des jeunes gens aux cheveux encore courts contestent durement le discours dominant. La fiction a quelques mois d'avance sur la réalité.

C'est, triste conclusion, dans les derniers jours de 1967 qu'est sorti sur les écrans parisiens le grand œuvre de **Jacques Tati**, *Play time*. Résultat d'un tournage pharaonique commencé en 1964 dans un gigantesque décor édifié près de Vincennes, c'est, vu par François Truffaut, «un film qui vient d'une autre planète». Comme dans *Mon Oncle*, Monsieur Hulot affronte le monde moderne, mais le combat a changé de dimensions. L'écran large (le film a été tourné en 70 mm) multiplie les gags, souvent simultanés. Le spectateur s'y égare. Hulot perd son combat contre la société de consommation. Jacques Tati aussi, qui passera le reste de sa vie à éponger les dettes que lui a laissées son monument incompris.

2. LE CINÉMA ET L'EFFET 68

Ce qu'il est convenu d'appeler les «événements» de 1968 réagit en cascade sur le cinéma. Passons sur l'anecdotique : l'interruption du festival de Cannes, contesté par un chahut de cinéastes solidaires des étudiants parisiens, et les éphémères États généraux où s'échafaudèrent dans un enthousiasme brouillon des plans de réforme radicale de la production et de la diffusion des films dans une France allègrement rêvée. L'été passé, il n'en restait plus trace.

Le printemps de 1968 a marqué profondément certains des cinéastes les plus en vue du moment : Louis Malle (il vient de tourner *Le Voleur* d'après le roman anarchisant de Georges Darien, c'était aussi l'air du temps) qui abandonne pendant deux ans le cinéma de fiction et part en Inde où il tourne un superbe documentaire, *Calcutta*, et une série de sujets destinés à la télévision, et surtout Jean-Luc Godard qui s'engage dans l'action militante et qui, pendant plusieurs années (1968-1972), tourne seul ou avec d'autres, à l'occasion en Italie, des films qui échappent à la diffusion commerciale.

1968 bouleverse profondément les rapports du cinéma avec la politique. La censure se dilue et disparaît pratiquement avec l'affaire *Histoire d'A* : à l'automne 1973, le débat est ouvert autour de l'abolition de la loi de 1920 qui criminalisait l'avortement. Deux cinéastes, Marielle Issartel et Charles Belmont, tournent sur le sujet un film offensif cautionné par les groupes militants, *Histoire d'A*. Il est interdit. Les cinéastes passent outre, des copies du film circulent dans toute la France, diffusés par des réseaux solidaires : en six mois, il est vu par 200 000 spectateurs. Fin 1974, l'interdiction est levée. Un an plus tard, lorsque la vague du film pornographique déferlera sur le marché français, la censure ne se manifestera pas : c'est par une mesure fiscale (le classement «X» qui implique une taxation accrue sur les films et les salles qui les diffusent) que le pouvoir tentera de l'endiguer.

Les films politiques se multiplient, à tous les niveaux de la production : *Z* de **Costa-Gavras**, tourné avec de gros moyens et des acteurs populaires, est un succès commercial de l'année 1969. Il sera suivi de *L'Aveu*, d'*État de siège*, de *Section spéciale*, du même cinéaste, et de nombreux autres films qu'on étiquettera «fictions de gauche», comme *L'Attentat* ou *RAS* d'Yves Boisset en 1972 et 1973. Des films «de terrain», souvent anonymes, sont tournés et diffusés par des collectifs militants. On fouille les zones d'ombre de l'histoire contemporaine : *Le Chagrin et la Pitié* de **Marcel Ophuls**, conçu au départ pour la télévision qui le refuse, sort dans des salles de cinéma, et fait figure d'événement. La méthode Ophuls (montage de documents et de témoignages) est dérangeante, elle n'apporte pas de certitudes sur l'Auvergne occupée, ni, plus généralement, sur la France de la collaboration et de la Résistance, elle pose des questions. Cette démarche plus civique que militante inspire d'autres films : *Français, si vous saviez*, près de huit heures de projection en trois volets, *La République est morte à Dien-Bien-Phu*, interrogent l'identité française et le passé colonial. Parallèlement, la critique aussi se politise, ou s'engage dans la théorisation du geste politique, à propos de films produits dans le passé (on travaille le cinéma des premiers temps de la révolution russe, ou celui des mouvements révolutionnaires du tiers-monde). C'est aussi le moment où le cinéma entre par la grande porte à l'Université. Des groupes d'études se constituent qui parfois (dans la toute neuve université de Vincennes) deviennent aussi des unités de production.

3. ORDINAIRES ANNÉES SOIXANTE-DIX

Ces premières années soixante-dix sont aussi un temps de reclassement. La Nouvelle Vague n'est plus qu'un écho, ou un label. Il n'y a plus d'école, plus d'unité entre les cinéastes issus dix ans plus tôt de la rédaction des *Cahiers du cinéma*. Certains se sont intégrés : **François Truffaut** trouve sa place dans une tradition classique qui va de Renoir et Guitry aux maîtres américains qu'il a admirés, notamment Hitchcock (il a publié en 1966 un gros volume d'entretiens avec l'auteur de *Vertigo* qui est à la fois un commentaire inspiré de l'œuvre du vieux cinéaste anglo-américain et un manifeste pour le cinéma que Truffaut croit porter en lui). Truffaut est moins un cinéaste de grands sujets (*La Sirène du Mississipi* en 1969, *La Nuit américaine* en 1973) que le peintre sensible des enfances difficiles (*L'Enfant sauvage* en 1970) ou des adolescences parisiennes, lestées de son expérience personnelle dans le cycle d'Antoine Doinel (le héros incarné de film en film par Jean-Pierre Léaud est l'évident *alter ego* du cinéaste) qui va du sketch qu'il avait tourné pour *L'Amour à vingt ans* en 1962 jusqu'à *L'Amour en fuite* de 1979, en passant par *Baisers volés* en 1968 et *Domicile conjugal* en 1970.

Claude Chabrol, après quelques années grises, amorce en 1969 une nouvelle saison, sa plus brillante (six films à retenir entre 1969 et 1973 : *La Femme infidèle, Que la bête meure, Le Boucher, La Rupture, Juste avant la nuit* et *Les Noces rouges*). Chaque film est un moment d'une comédie humaine qu'il inscrit méthodiquement à chaque fois dans un paysage social rigoureusement défini, parisien ou provincial, dont il donne une image uniformément négative. Chabrol renoue ainsi avec la tradition de cruauté du cinéma français qui joint avant lui Duvivier à Clouzot. Il y ajoute la sensualité et le goût du sarcasme qui sont sa marque personnelle avec, dans ses meilleurs moments (*Le Boucher*), une sensibilité quasi ethnographique au temps et au lieu.

Éric Rohmer qui, dès 1962, s'était lancé à lui-même le défi de réaliser six films qu'il avait appelés «Contes moraux», construits comme des variations sur un schéma unique (les deux premiers ont été un court, puis un moyen métrage, en 1962 et 1963), trouve un public limité mais favorable avec le troisième (*La Collectionneuse*, en 1967), puis le grand succès avec le quatrième, *Ma Nuit chez Maud*, en 1969. Les deux derniers, *Le Genou de Claire* et *L'Amour l'après-midi* (1970 et 1972) confirment son talent de moraliste classique, de cinéaste lettré et mesuré qui sait jouer avec finesse des sentiments et des mots qui les expriment.

Éric Rohmer

«Cet "au-delà [de la perfection romanesque]" précisément, c'est ce que nous essayons tant bien que mal de définir dans ces *Cahiers*, en louant des cinéastes qu'on a pu nous reprocher de célébrer avec trop de système mais qui, consciemment ou inconsciemment, ont essayé de faire éclater les limites de cette esthétique littéraire au nom de laquelle on prétend fort témérairement juger un film. Cet "au-delà", sans doute n'est-il pas réductible à une formule, peut-être même ne trouverons-nous jamais de terme pour le désigner : ce qui est certain, c'est qu'il ressortit à la mise en scène et qu'il n'apparaît que lorsque celle-ci trouve du champ pour s'exprimer. Lorsqu'un compositeur met un poème en musique, il substitue au chant du vers un chant d'espèce assez différente pour que son entreprise n'apparaisse vaine que si elle est vraiment profanatrice. De même, une pièce de théâtre laisse dans l'intervalle des répliques un blanc que le metteur en scène se chargera de remplir d'une manière qui n'appartient qu'à lui seul. Il est significatif que, ces temps derniers, les adaptations pour l'écran des pièces modernes aient été plus heureuses que celles des romans. Est-ce à dire que le cinéma se rapprocherait du théâtre ? Tout au contraire, c'est parce que le son, la couleur, l'écran large l'ont rendue plus facile, que l'adaptation d'une œuvre romanesque est aujourd'hui plus périlleuse. Du temps du muet, une marge importante était laissée à l'invention. Maintenant qu'on peut et donc qu'on doit être fidèle, l'exigence du spectateur augmente, en même temps que la liberté du cinéaste amorce un repli. Force est à cette dernière de regarder dans une tout autre direction pour préserver son intégrité.»

Cahiers du cinéma, n° 67, janvier 1957.

Aux antipodes de ce classicisme, **Jean-Luc Godard**, avec *Tout va bien* (en 1972, une grosse production franco-italienne avec Yves Montand et Jane Fonda qu'il tourne, et détourne, pour en faire un film d'action politique immédiate), puis avec les trois films qu'il réalise en 1975 et 1976 avec Anne-Marie Miéville, campe aux franges d'un cinéma expérimental associant l'image optique et la vidéo pour questionner la société capitaliste et ses modes de représentation.

Jacques Rivette enfin, moins engagé dans les luttes politiques du temps, mais tout aussi expérimentateur, œuvre pour les *happy few* avec

L'Amour fou, qui dure plus de quatre heures, puis *Out one* dont la première version dure près de treize heures ! Il y retrouve les thèmes du théâtre et du complot obscur qui déjà tissaient la trame de son premier film, *Paris nous appartient*, en 1961. Conversations d'artistes mêlant inextricablement les scènes jouées et le cinéma direct, les acteurs et les personnages qu'ils interprètent, laissant à ces acteurs une grande marge d'improvisation face à une caméra portée à l'épaule, *Out one* est une expérience limite de cinéma en liberté, dont quelques salles commerciales diffuseront une version réduite à quatre heures, *Out one spectre*, sortie en 1974. La même année, Rivette tourne un film plus accessible, qui cette fois séduit un large public sans sacrifier ses qualités de liberté et d'improvisation, *Céline et Julie vont en bateau*.

Jean-Pierre Melville disparaît en 1973. C'est à la fin des années soixante qu'il a réalisé ses films les plus maîtrisés, *Le Deuxième Souffle* en 1966, *Le Samouraï* en 1967. René Clair a tourné son dernier film en 1966, Jean Renoir en 1969, Clouzot en 1967, l'année où est mort Duvivier. Clément et Autant-Lara tournent des films de série. **Robert Bresson**, en revanche, creuse imperturbablement son sillon à travers *Au hasard, Balthazar* (1966), *Mouchette* (1967), *Une femme douce* (1969), *Quatre Nuits d'un rêveur* (1971), *Lancelot du Lac* (1974). Il est reconnu, admiré, il intimide par sa rigueur.

Alain Resnais connaît une longue période d'inactivité entre deux films mineurs (*Je t'aime, je t'aime* tourné avant 1968 et *Stavisky*, en 1974). **Louis Malle** a tourné un *Souffle au cœur* audacieux, abordant malgré les injonctions de la censure le thème jusque-là tabou de l'inceste, puis, après une nouvelle incursion dans le champ du documentaire, *Lacombe Lucien*, qui s'inscrit au point le plus élevé d'un courant «rétro» qui travaille la mémoire et la mauvaise conscience de la France occupée (à partir d'un scénario qu'il a écrit avec Patrick Modiano, Malle suit l'itinéraire d'un jeune paysan qui bascule, sans avoir jamais réfléchi, dans le mauvais camp, celui des auxiliaires français de la Gestapo). *Lacombe Lucien*, dans les premiers mois de 1974, déchaîne les passions dans la presse et l'opinion.

C'est enfin dans ces années que débutent des cinéastes alors atypiques : **Maurice Pialat** (il a réalisé des courts métrages ; en 1969, il signe *L'Enfance nue*, puis *Nous ne vieillirons pas ensemble* en 1972), **Jacques Doillon** (*Les Doigts dans la tête*, en 1974), **Claude Faraldo** (*Bof...* en 1971 et surtout *Themroc* en 1973, deux figures de l'utopie post-soixante-huitarde), ou **Bertrand Tavernier** (*L'Horloger de Saint-Paul* en 1973). D'autres, dont les débuts avaient été discrets quelques années plus tôt, passent au premier plan : **Claude Sautet** avec *Les Choses de la vie* en 1971, ou Eustache.

Jean Eustache, venu de la cinéphilie, a tourné ses premiers films aux confins de la Nouvelle Vague et du cinéma direct (*Le Père Noël a les yeux bleus, La Rosière de Pessac*), dont la diffusion était restée confiden-tielle. En 1973, *La Maman et La Putain*, un très long métrage centré sur trois personnages ancrés dans quelques rues de la rive gauche, est un événement : un film personnel, construit autour de dialogues très écrits, léger et désespéré, porté par trois comédiens indispensables à l'entre-prise : Jean-Pierre Léaud, Françoise Lebrun et Bernadette Lafont. Eustache a tourné un second long métrage, *Mes Petites Amoureuses*, moins incandescent, en 1974. Il s'est donné la mort en 1981.

LE CINÉMA RELATIF. 1975-1994

Au milieu des années soixante-dix, le cinéma prend conscience d'une évolution de son statut. Il n'est plus le seul, il n'est plus le principal média distributeur d'images, ou de rêve…

1. CINÉMA ET TÉLÉVISION

Son évolution, donc son histoire, s'inscrit alors dans une relation difficile avec la télévision. En 1973, année de la mise en service de la troisième chaîne publique, il y a 12 279 000 récepteurs recensés en France. En 1976, il y en aura 14 700 000. Cette même année, cinq cent dix-sept films (dont deux cent cinquante-deux films français) sont diffusés sur les trois chaînes. En 1976 toujours, les salles de cinéma accueillent 176 millions de spectateurs. En janvier 1978, le BLIC (Bureau de liaison des industries cinématographiques), dans une lettre ouverte au président Giscard d'Estaing, estime que les films diffusés à la télévision, toujours sur les seules trois chaînes publiques, ont été consommés par quatre milliards de spectateurs. Le cinéma est désormais, dans sa structure même, impliqué dans ce qu'on commence à appeler le **paysage audiovisuel français**.

Dans les presque deux décennics qui suivent, la cohabitation contrainte des deux vecteurs d'image bouleverse les bases économiques de l'industrie cinématographique. La télévision est devenue un gigantesque distributeur de films. L'apparition des chaînes privées et la privatisation de la première chaîne publique, la montée en puissance à partir de 1984 de la chaîne cryptée Canal + presque exclusivement consacrée au cinéma, puis le développement de réseaux cablés qui hébergent des chaînes spécialisées visant prioritairement le public des cinéphiles, a créé un gigantesque marché et revalorisé une grande partie du patrimoine cinématographique accumulé depuis le passage au parlant. Des entreprises créées au sein de puissants groupes financiers ont constitué des portefeuilles de droits audiovisuels portant sur des milliers de films rachetés à leurs producteurs ou à leurs ayants droit. La télévision est devenue, au début des années quatre-vingt-dix, une cinémathèque permanente. Donc un concurrent redoutable pour les salles qui ont d'abord vu fondre leur public populaire, nous y reviendrons, et qui craignent maintenant de perdre les spectateurs plus exigeants qui fréquentent les salles d'Art et Essai.

Dans un climat de concurrence entre les chaînes, la télévision, pour s'assurer les indispensables films frais affichés aux heures de grande écoute, s'est très tôt impliquée dans la production de films de cinéma. La première expérience dans ce domaine remonte à la RTF, à la veille des années soixante : la coproduction en 1959 avec la Compagnie Jean Renoir d'un film expérimental, *Le Testament du docteur Cordelier*, permit au vieil auteur de *La Règle du jeu* d'imaginer un tournage à plusieurs caméras qui l'amusa un temps, avant de le décevoir. Le film sortit simultanément sur le petit et le grand écran, en novembre 1961. Il y eut d'autres tentatives au temps de l'ORTF : en 1966 le tournage par Roberto Rossellini de *La Prise du pouvoir par Louis XIV*, en 1967 ceux de *Mouchette* de Robert Bresson et de *Drôle de jeu* de Pierre Kast d'après Roger Vailland.

En 1972, on sort des chemins aventureux : l'ORTF obtient une carte de producteur agréé par le CNC, qui lui permet d'intervenir dans le montage financier de films destinés prioritairement au grand écran. En 1974, l'ORTF explose. Les sociétés de programmes qui lui succèdent prennent progressivement le relais. Dès 1976, plusieurs dizaines de films sont coproduits par FR3, la SFP (Société française de production) et l'INA (Institut national de l'audiovisuel). La pratique n'a fait que se généraliser depuis. Au début des années quatre-vingt-dix, très rares sont les films français qui ne sont pas coproduits par Canal +, associé souvent à une chaîne, publique ou privée, de diffusion en clair. Sur les cent un films d'initiative française recensés par le CNC en 1993, quatre-vingts ont bénéficié d'une part de production apportée par Canal +, et soixante et un ont été soutenus par au moins une chaîne de télévision diffusant en clair. Résumons : la télévision, qui dévore le cinéma par en haut, est aussi à l'autre bout de la chaîne son principal agent de production. Et comme depuis 1984, nous l'avons évoqué plus haut, la taxe prélevée sur les bénéfices des sociétés de télévision assure la moitié des recettes du Compte de soutien, il est clair qu'en France, cinéma et télévision sont liés d'une manière inextricable. La télévision a besoin des films, le cinéma vit de l'argent de la télévision. Cette symbiose contrainte a évidemment des conséquences sur la nature même des produits cinématographiques fabriqués sous un tel patronnage. La télévision qui finance acquiert un droit de regard, généralement non écrit, sur les films qu'elle se propose de diffuser aux heures de grande écoute. En France, il existe en principe une frontière étanche, une différence de statut, entre le film de cinéma et le téléfilm. Pourtant nombre de films «de cinéma», surtout depuis 1990 et 1991, sont en réalité des téléfilms parés des plumes du paon : ils sont conçus dès la pré-production pour ne faire qu'un petit tour sur le grand écran (une ou deux semaines d'exclusivité discrète dans quelques salles parisiennes), avant de trouver le public pour lequel ils ont été tournés, un soir, après le journal de vingt heures.

2. UN CINÉMA DE DIFFUSEURS

Le cinéma français n'a jamais (au moins depuis la Première Guerre mondiale) été un cinéma de producteurs. Pas de «studio» en France qui aurait été comparable à ceux qui dominent le cinéma américain, pas non plus de chevaliers d'industrie comme il en a existé en Italie. Les puissances financières qui prennent le pouvoir dans le cinéma français après 1970 sont fondées sur la distribution des films et la gestion des salles. Le petit commerce, la salle familiale dirigée et programmée par une famille parfois depuis trois générations disparaît des bourgs où, dans le meilleur des cas, une association subventionnée ou une municipalité la maintiennent en vie, et des quartiers périphériques des villes.

En 1971, les salles de l'UGC (l'Union générale cinématographique, qui gère pour le compte de l'État des biens mis sous séquestre à la Libération)

91

sont privatisées, vendues à un groupe d'exploitants de la région parisienne qui en fait le noyau dur d'un réseau qui associe rapidement plusieurs centaines d'écrans. En 1970, Pathé et Gaumont avaient mis en commun leurs parcs respectifs, recrutant des associés autour d'un groupement d'intérêts économiques (GIE) qui, en trois ans, dépasse les quatre cents écrans. Un troisième réseau est mis en place sous la raison sociale Parafrance. On construit des salles nouvelles, souvent groupées en complexes de cinq ou six écrans installés à proximité immédiate des parkings et des centres commerciaux qui se développent parallèlement. Le fonds de soutien du CNC cofinance ces chantiers en prenant à sa charge 25 à 50 % des travaux d'aménagement professionnel (instruction du 15 octobre 1968 du ministère des Affaires culturelles).

Dans les années quatre-vingt, le groupe Parafrance disparaît. En 1983, le CNC, en application d'un décret du ministre Jack Lang sur la constitution de groupements et les ententes de programmation, impose la dissolution du GIE Pathé-Gaumont. Chacun des deux groupes se redéfinit en fédérant des indépendants autour d'une équipe de programmation qui assure chaque semaine l'alimentation des écrans (entre 1984 et 1986, le «parc» programmé par Pathé passe de 369 à 437 salles). En 1992, Pathé et Gaumont procèdent à un échange d'actifs (Pathé cède à Gaumont la quasi-totalité de ses écrans parisiens et reçoit en échange des salles dans les grandes ville de province). On remodèle les salles, plus vastes, plus confortables, parfois groupées en «mégacomplexes» de plus de dix écrans.

Ces transformations du mode de diffusion des films ont, dès les années soixante-dix, pesé sur la production. Les programmateurs des grands réseaux ne prennent pas de risques. Il faut couvrir le plus grand nombre d'écrans possibles, le même mercredi, avec le même film, pour bénéficier de l'impact d'une publicité coûteuse : bandes promotionnelles dans les salles, affiches, associées généralement à une campagne rédactionnelle (présence du metteur en scène ou des vedettes dans la presse et sur les petits écrans) dont l'effet d'annonce est limité dans le temps (un mercredi chasse l'autre). On «sort» deux cents, trois cents copies le même jour. Il est arrivé, après 1989, qu'un film occupe à lui seul plus de 10 % des écrans français, et ce sont naturellement ceux des salles les plus rentables. C'est sur ce terrain commercial miné que le cinéma français affronte une concurrence chaque année plus difficile avec son vieux rival américain.

Jusque vers 1984-1985, la prospérité du cinéma commercial en France repose, dans le cadre de ce marché qui privilégie les films dits «porteurs», sur ce qu'on peut appeler des «chaînes d'analogues». C'est une époque de valeurs stables. Un exemple : Jean-Paul Belmondo, comédien et producteur (il produit et commercialise ses films par le biais de sa société, Cerito Productions) propose une année après l'autre un nouveau film au public français dans la dernière semaine d'octobre. Annoncé dès l'été par une campagne de publicité multimédia, le film sort dans trois cents salles le même mercredi, à la même heure, à Paris, en banlieue et dans les régions. L'affiche du film ressemble à celle du Belmondo de l'année précédente. Le metteur en scène importe peu, Georges Lautner, Henri Verneuil ou Jacques Deray, il n'est que l'exécutant de l'acteur producteur. Ainsi, sorti le 26 octobre 1983, *Le Marginal* (Jacques Deray) mobilise 468 000 spectateurs en région parisienne en première semaine d'exclusivité. Le record est battu : en 1982, même semaine de fin octobre, *L'As des as* (Belmondo mis en scène par Gérard Oury) avait «fait» 463 000 entrées, en 1981 *Le Professionnel* (Belmondo mis en scène par Georges Lautner) dépassait à peine 300 000. Trois ans plus tard, la chaîne s'est brisée : en 1987, *Le Solitaire* (Belmondo-Deray, même recette) démarre à 127 000 spectateurs en première semaine et quitte l'affiche cinq semaines plus tard. La mécanique ne fonctionne plus. La ligne parallèle et rivale des films populaires portés par Alain Delon connaît les mêmes avanies. La ligne de Funès s'interrompt avec la mort du comédien en 1983. Et rien de semblable ne les remplace. De gros succès populaires restent possibles, mais ils sont devenus aléatoires, comme *Trois Hommes et un couffin* de Coline Serreau en 1985, ou *La vie est un long fleuve tranquille* d'Etienne Chatiliez en 1988.

La fréquentation des salles a baissé régulièrement pendant toutes les années quatre-vingt : après une pointe exceptionnelle au-dessus de

200 millions en 1982 et une chute brutale entre 1986 et 1987, elle s'est stabilisée entre 1988 et 1992 autour de 120 millions de spectateurs annuels. Une embellie en 1993 (133 millions) n'est probablement pas significative. La mutation est d'ordre sociologique. Le public du samedi soir qui faisait le succès assuré du cinéma des lignes a disparu, partiellement remplacé par un public plus jeune qui s'intéresse moins aux productions françaises qu'aux images venues d'ailleurs.

L'ultime donnée statistique qui concerne ce cinéma français est la plus alarmante quant à son avenir proche. En 1983, bonne année de ce point de vue, les films français se partageaient 49,3 % du marché national et n'en concédaient que 36,9 % aux films américains. Dix ans plus tard, en 1993, la part des films français est de 34,6 %, celle des films américains de 57,1 %. Le cinéma français, qui s'exporte mal, se fragilise sur le seul terrain qui assure son existence. Sans les débouchés seconds que lui offrent les chaînes de télévision, il serait condamné à brève échéance. C'est dans ce contexte qu'il faut situer la résistance de la profession, fermement soutenue par les pouvoirs publics, dans ce qu'il est convenu d'appeler la bataille du GATT de l'automne 1993. La défense de l'«exception culturelle» européenne, qui concernait plus la France que ses partenaires de la CEE dont les cinématographies ont moins bien résisté à l'assaut conjugué des télévisions et des distributeurs américains, et le sursis obtenu dans la grande négociation de Genève, préservent pour quelques années au moins un mode de production qui n'a pas démérité.

Il fonctionne d'autant mieux, au début des années quatre-vingt-dix, qu'il n'est pas pauvre. Le cinéma français ne manque pas d'argent frais, qui provient tant des Soficas que d'investissements provenant de grands groupes privés. Les Soficas, créées par le premier ministère Lang en 1985, sont des Sociétés de financement des industries cinématographiques et audiovisuelles qui mobilisent des capitaux de particuliers ou d'entreprises, en échange d'avantages fiscaux. En janvier 1991, dix-huit Soficas étaient agréées par le ministère de l'Économie et des Finances, en 1993, elles sont intervenues dans le financement de cinquante films. L'argent provient aussi de banques et d'entreprises qui se sont récemment tournées vers le marché des images comme Bouygues, qui a créé sous le label Ciby 2 000 une structure de production active.

La production française en 1993 se compose donc des films dits d'«initiative française» (selon la terminologie du CNC, ce sont des films produits intégralement par des producteurs nationaux, ou des films coproduits dont la part française est majoritaire), des coproductions dont le coproducteur étranger est majoritaire, et des films que la France aide, à partir d'un fonds d'aide aux coproductions avec les pays d'Europe centrale et orientale (ECO) défini en 1989. En 1993, le cinéma français est intervenu dans le financement de cent cinquante-deux films se répartissant de la manière suivante : cent un films d'initiative française, trente six coproductions à majorité étrangère, enfin quinze films relevant du fonds ECO, réalisés en Russie, Roumanie, Pologne, etc.

3. LA FIN DES GENRES

C'est entre 1980 et 1985 que la notion d'auteur de film, souvent dévaluée ou abusive, l'emporte définitivement sur celles d'école ou de genre.

Le film policier, le «polar», a été pendant un quart de siècle le genre par excellence. Vivifié par Jacques Becker au milieu des années cinquante, il a fait les beaux soirs d'un cinéma de la Qualité tourné vers le public populaire. La série noire à l'écran a alors ses codes, son argot convenu et ses petits maîtres : Henri Decoin, Gilles Grangier, Ralph Habib. La Nouvelle Vague naissante se coule dans le moule : *À bout de souffle* est aussi un polar, filmé autrement. Dans les années soixante, le polar était la figure imposée au cinéaste débutant, l'examen de passage : les poursuites en voiture sur les premières autoroutes pour faire moderne, les bars et les petits matins blêmes, toujours Gabin et déjà Belmondo, les romans de José Giovanni et, dans le meilleur des cas, l'écriture rigoureuse de Jean-Pierre Melville, de *Bob le flambeur* au *Samouraï*. Plus tard, le genre préside, avec ou sans dérive parodique, dans le cinéma des lignes évoqué plus haut. Jean-Paul Belmondo ou Alain Delon y sont indifféremment policier ou gangster, ou policier en rupture de police, les figures sont les mêmes, la mise en valeur d'un héros solitaire, l'hypertrophie iconique de l'arme (elle figure, fétiche ou signe de piste, sur les affiches qui vendent le film dans les couloirs du métro), la misogynie qui réduit la femme à une silhouette pulpeuse vouée au repos du guerrier. Le genre a encore un haut de gamme (des films d'Alain Corneau, de *Série noire* en 1979 au *Choix des armes* en 1981, ou d'Édouard Niermans, *Poussière d'ange* en 1987). Des cinéastes cinéphiles tentent en vain de le réanimer (Jean-Claude Missiaen avec *Tir croisé* ou *Ronde de nuit* au début des années quatre-vingt). Sur le grand écran, le genre se meurt. Quand Bertrand Tavernier, en 1992, tourne *L 627*, il ne réalise pas un film policier, mais un film personnel attirant l'attention sur un fait social, l'inadaptation de la police à la lutte qu'elle mène contre la drogue. Les syndicats réagissent, le ministre de l'Intérieur est interpellé. La fonction de *L 627* n'est plus seulement de divertir comme un Maigret de bonne cuvée, elle est aussi civique.

L'autre genre qui se dilue dans les mêmes années a des contours plus flous. C'est le film comique. Hors quelques rares ingénieurs du rire (Jacques Tati), en France il a été surtout le fait d'acteurs populaires, Fernandel dès le début du parlant, Bourvil, de Funès et des dizaines de chanteurs, d'amuseurs, de grimaciers et de bègues qui alternaient le cinéma avec le théâtre, le cabaret et la radio. Au début des années soixante-dix, le genre est encore prospère, illustré par les triomphes du tandem Louis de Funès-Gérard Oury (d'abord acteur, ce dernier a commencé sa carrière de réalisateur au temps de la Nouvelle Vague, et a trouvé sa voie en 1965 avec *Le Corniaud* ; *La Grande Vadrouille*, qu'il a tourné en 1966, demeure le plus gros succès commercial de l'histoire du cinéma français). C'est aussi le temps où s'illustrent Yves Robert (ancien acteur lui aussi, il dirige ses premiers films dès les années cinquante et touche un large public vingt ans plus tard avec notamment *Le Grand Blond avec une chaussure noire* interprété par Pierre Richard), et Philippe de Broca, qu'il dirige Jean-Paul Belmondo (*L'Homme de Rio* en 1964) ou Annie Girardot (*Tendre Poulet* en 1978).

Pendant quelques années, après 1980, le genre est revitalisé par l'apport du café-théâtre, qui avait formé une génération de comédiens plus acides, plus insolents, habitués au travail en équipe. Les acteurs issus du Café de la Gare de Romain Bouteille (dont Coluche) et ceux de la troupe du Splendid (Gérard Jugnot, Josiane Balasko, Michel Blanc qui tous trois passeront à la réalisation, et Christian Clavier) apportent à l'écran un comique sarcastique ancré dans le présent. Dirigés par Patrice Leconte (*Les Bronzés, Viens chez moi, j'habite chez une copine*) ou par Jean-Marie Poiré (*Le Père Noël est une ordure*, en 1982), ils tiennent l'écran pendant une décennie.

Après 1990, le comique n'est plus un genre. Le rire immédiat, comme le policier mécanique façon Maigret ou série noire, sont dispensés en abondance par le petit écran. Au cinéma, les films de Gérard Oury (*La Soif de l'or* en 1993) ne font plus recette. Et l'énorme succès des *Visiteurs* en 1993 (plus de 13 millions de spectateurs) ne doit pas faire illusion. Le film de Jean-Marie Poiré et Christian Clavier est une île, pas un archipel. Même si leur triomphe est réédité de deux ans en deux ans, il définira au mieux une nouvelle chaîne d'analogues, pas un genre.

4. Ouverture

Vers le milieu des années soixante-dix, le cinéma français devient une nébuleuse en expansion permanente. De nouveaux cinéastes apparaissent, quinze, puis vingt, puis trente chaque année. On a enregistré trente-neuf premiers films en 1992, et trente-neuf autres en 1993. Le statut social du cinéma a changé : de métier longuement appris sur le tas, il est devenu acte de création ou d'expression pour des gens qui s'estiment capables de maîtriser une caméra et une table de montage. La création est souvent bouillonnante et confuse, obscurcie parfois par un discours théorique fragile ou abscons. La cartographie du cinéma français est mouvante, sans lignes de force, aléatoire.

Le recrutement des nouveaux cinéastes est étonnamment varié, et témoigne à la fois du prestige acquis par la création cinématographique, et de la dévalorisation de la dimension technique du geste créateur au profit du sens prêté à l'œuvre. On ne compte pas les écrivains, les journalistes, les plasticiens, les musiciens voire les chanteurs, et bien entendu les comédiens, qui tentent avec un bonheur varié de passer un jour derrière la caméra. Beaucoup font un film, deux films, et abandonnent. D'autres au contraire imposent un talent réel, et édifient une œuvre originale, importante. Françoise Sagan tourne un film sans suite, *Les Fougères bleues*, en 1975, **Marguerite Duras** en tourne une quinzaine après *La Musica* en 1967 et *Détruire, dit-elle* en 1969, dont le très beau *India Song* en 1975. Elle invente un cinéma de la fascination fondé sur la durée et sur le jeu croisé des voix et de la musique, qui creuse un sillon ambitieux où certains croient reconnaître un dépassement moderne du cinéma narratif.

Ce cinéma accueillant l'est aussi, dans un autre registre, aux créateurs étrangers. **Luis Buñuel**, dès 1963, tourne épisodiquement des films français pour le producteur Serge Silbermann, et, entre 1969 (*La Voie lactée*) et 1977 (*Cet Obscur Objet du désir*, son dernier film), il dirige à Paris d'une main sûre des films aussi rares et importants que *Le Charme discret de la bourgeoisie* ou *Le Fantôme de la liberté*), tous avec la collaboration du scénariste Jean-Claude Carrière. De 1976 (*Monsieur Klein*) à 1982 (*La Truite*), **Joseph Losey** travaille en France, et c'est Gaumont qui produit son somptueux *Don Giovanni* tourné en Italie. On croise aussi **Ettore Scola** (*La Nuit de Varennes* en 1982, *Le Bal* en 1983), ou le Géorgien **Otar Iosseliani** (*Les Favoris de la Lune* en 1983, *La Chasse aux papillons* en 1992).

Des latino-américains (Chiliens ou Argentins fuyant la dictature) travaillent en France le temps d'un film, ou s'y installent : Hugo Santiago, Edgardo Cozarinsky, ou le prolifique Raul Ruiz. Et dès les années soixante-dix arrivent les premiers cinéastes de l'Est européen : c'est en 1974 que le Polonais Andrzej Zulawski met en scène son premier film français, *L'Important c'est d'aimer*. Plus tard, Gaumont produit le *Danton* d'Andrzej Wajda (1982). Plus tard encore, Marin Karmitz donnera à Krzysztof Kieslowski les moyens de tourner les trois volets de sa trilogie tricolore, *Trois couleurs : Bleu, Blanc, Rouge*, en 1993 et 1994. Enfin, c'est une productrice française qui, en 1993, finance le tournage aux États-Unis de *Arizona Dream*, du Bosniaque Emir Kusturica...

5. LE TRIOMPHE DES AUTEURS

Le cinéma des années quatre-vingt (qu'on peut élargir aux dernières années soixante-dix et aux premières années quatre-vingt-dix) se constitue donc en une masse de films qui sont autant de prototypes. L'éventail des budgets est largement ouvert : pour l'année 1993, il va de la grosse production dont le devis, agréé par le CNC, dépasse les 120 millions de francs, aux films « fauchés » dont le prix de revient est inférieur à 7 millions. Les uns et les autres revendiquent leur statut de film d'auteur.

Tenter de classer ces films en tenant compte de leur prix de revient, qui serait un critère à la fois d'ambition et de réussite, ne serait pas opératoire. Les gros budgets ne font pas nécessairement les bonnes recettes, encore moins les œuvres d'art. Pour faire face à la concurrence des films américains sur le marché national, et dans l'espoir de relancer l'exportation des produits français, le ministère de la Culture, alors animé par Jack Lang, a insisté au début de 1989, sur la nécessité de produire chaque année quelques « gros » films populaires qui auraient vocation de « locomotives ». Le succès (en l'espèce à la fois succès critique, populaire et financier) du *Cyrano de Bergerac* réalisé par Jean-Paul Rappeneau, venant après celui des adaptations de Pagnol par Claude Berri (*Jean de Florette* puis *Manon des sources* en 1986), pouvait laisser imaginer la résurgence d'un cinéma de la Qualité drainant un public familial dans les salles. Mais une série d'échecs cuisants (*Jean Galmot aventurier* d'Alain Maline, *Lacenaire* de Francis Girod, *Le Brasier* d'Éric Barbier, ou deux ans plus tard *Le Bâtard de Dieu* réalisé par l'ancien producteur Christian Fechner) a relativisé les choses, d'autant que, dans le même temps, des « petits » films s'imposaient aussi comme succès commerciaux (*La Discrète* de Christian Vincent, après *La vie est un long fleuve tranquille* d'Etienne Chatiliez). Le critère économique est donc sans valeur. L'atomisation du marché fait qu'en 1993, un film de Resnais ou de Rivette lutte à armes égales, face à la critique et au public, avec des premiers films de réalisatrices de vingt-cinq ans. On en revient donc à un classement par générations, à une stratification horizontale.

6. LE PREMIER CERCLE

Robert Bresson d'abord, qui a encore réalisé deux films après 1975. *Le Diable probablement*, en 1977, et surtout *L'Argent* en 1983, affirment, avec un dépouillement qui en fait des épures, la cohérence stylistique du vieux maître. L'écriture efface les temps morts, atténue surtout les temps forts, les moments de violence physique, pour valoriser les gestes d'échanges, la circulation des billets de banque d'une main à une autre main, qui devient la figure du mal dans le monde quotidien. Les anciens de la génération de la Nouvelle Vague s'organisent en un premier cercle hétéroclite autour du pur diamant auquel on pourrait identifier l'œuvre achevée de Bresson.

François Truffaut le premier. De *L'Homme qui aimait les femmes* en 1976 à sa mort en 1984, il tourne six films dont le ton se fait plus grave. *La Chambre verte*, en 1978, est son œuvre la plus personnelle, une méditation sur la mort et le deuil, empreinte d'une sérénité fragile. Si *La Chambre verte* représente la part la plus fermée, la plus intime de son œuvre, *Le Dernier Métro* qu'il réalise deux ans plus tard et qui remporte un gros succès, renvoie au contraire à un cinéma plus classique : scénario verrouillé, acteurs poids lourds, reconstitution méticuleuse du Paris de l'Occupation. On n'est plus très loin du cinéma de la Qualité qu'il vilipendait un quart de siècle plus tôt. Truffaut meurt en octobre 1984, un jour après Pierre Kast. Jacques Doniol-Valcroze meurt en octobre 1989, Jacques Demy en octobre 1990...

Alain Resnais tourne en 1977, sur un argument du dramaturge britannique David Mercer, un de ses plus grands films, *Providence,* qu'il présente moins comme un film sur la mort que sur la volonté de ne pas mourir. Les comédiens sont anglais (admirable John Gielgud), mais la lumière et le vin blanc sont français. L'auteur de *Hiroshima mon amour* ne retrouve pas la même hauteur d'inspiration dans les films qui suivent, où il oscille entre un formalisme d'expérimentateur et une nostalgie du cinéma de genre tel qu'il existait dans la première décennie du parlant, au temps du studio et des artifices d'éclairages.

Éric Rohmer est sans doute le cinéaste de cette génération qui est resté le plus fidèle à une inspiration, et à un savoir-faire, définis avant la fin des années soixante. Une année après l'autre, il cisèle ses films de moraliste amusé, rigoureux dans ses dialogues comme dans sa mise en scène. Le cycle des «Comédies et Proverbes» prend la suite des «Contes moraux», et culmine en 1984 avec *Les Nuits de la pleine lune*. Ce cycle est lui même remplacé par les «Contes des quatre saisons», inaugurés en 1990 par le *Conte de printemps*. En 1986, son *Rayon vert* a été le lieu d'une expérience passionnante où, tournant le dos à sa méthode, il a filmé l'aventure de son héroïne (interprétée par Marie Rivière à qui il a laissé une grande liberté d'improvisation) à la manière du cinéma direct, atteignant ainsi une allégresse rare dans le cinéma français.

Jacques Rivette, encore confidentiel dans *Duelle* (1976) et *Merry-Go-Round* (tourné en 1978, sorti en 1983), trouve un public d'aficionados avec *La Bande des quatre* en 1989 (toujours une variation sur les marges du théâtre), et rencontre le grand public avec *La Belle Noiseuse*, qui représente la France au festival de Cannes en 1991, une variation ludique sur la représentation (la peinture) portée par des acteurs magnifiques (Michel Piccoli et Emmanuelle Béart). Il est moins heureux en 1994 avec sa version de l'aventure de Jeanne d'Arc (*Jeanne la Pucelle*, en deux épisodes).

Claude Chabrol, le plus intégré des cinéastes issus des *Cahiers* de 1958, tourne beaucoup (près de vingt films entre 1975 et 1994), souvent sans beaucoup d'investissement personnel. De cette production abondante et paresseuse émergent des comédies policières goguenardes (*Inspecteur Lavardin* en 1986), et des drames méchants qui tentent de retrouver sa manière des dernières années soixante (*Betty*, en 1992). Sa version de *Madame Bovary*, en 1991, relève en revanche du pire cinéma de la Qualité et s'inscrit comme un exemple de l'échec des «gros films populaires» que Jack Lang appelait alors de ses vœux.

Agnès Varda, qui s'est laissé installer douillettement dans le rôle de la grand-mère du cinéma français, est en réalité quelqu'un qui n'a jamais cessé de chercher, du très court au long métrage, du documentaire (*Documenteur* en 1982, tout un programme sinon un manifeste contenu dans un titre d'un mot) à la fiction (*Sans toit ni loi* en 1985), du film-portrait (de Jane Birkin dans *Jane B. par Agnès V.* en 1987) au film-hommage (à Jacques Demy dans *Jacquôt de Nantes* en 1991). Elle joue avec les images comme avec les mots, avec un sens du temps et de l'émotion qui atteint au sublime dans un court métrage comme *Ulysse*, en 1982.

Jean-Luc Godard enfin. C'est en 1980 qu'il revient au cinéma traditionnel, si on entend par là un cinéma produit et distribué selon les critères en usage en 1980, avec *Sauve qui peut (la vie)*, une fiction à entrées multiples, inquiète, soucieuse de ne pas tomber dans les pièges de la narration classique. Suivent *Passion* (1982), *Prénom Carmen* (1983), *Je vous salue Marie* (1985). Godard raconte et esquive, parle de l'amour, des femmes, de la mort et de la mort du cinéma, s'approche prudemment du sacré qui le trouble au point de réveiller le vieux censeur qui sommeille chez les notables de province (*Je vous salue Marie* est interdit dans plusieurs villes de France). Il y a quelque chose de douloureux dans ses films (*Détective* en 1985, *Soigne ta droite* en 1987), dont il se protège par des déclarations sarcastiques ou provocantes. En 1990, *Nouvelle Vague* (avec Alain Delon), en 1993 *Hélas pour moi* mèlent un souci de perfection dans le geste de produire des images et des sons à un discours inquiet et confus dont on sent mal s'il provoque ou s'il trahit un malaise réel. Dans ces années, parallèlement à ces longs métrages, Godard tourne des documents en vidéo, dont le point commun, qu'il parle de l'Allemagne ou de l'histoire du cinéma, est une vision désabusée de l'avenir. Godard, fils de Dieu (dans Godard il y a *God* disait la publicité de *Hélas pour moi*), fait des images, mais ne croit plus à l'avenir des images.

Jean-Luc Godard

« Je ne pense pas qu'il y ait trente-six manières de faire un film : j'essaie de faire bien, faire mieux, faire intéressant. Les films, c'est un peu plus facile que la vie, ça la remplace mieux qu'autre chose. Alors, autant vivre le cinéma que faire un cinéma de sa vie... Mes amis me disent quelquefois : quand même, le cinéma, ce n'est pas la vie... Mais ça peut la remplacer à des moments, comme une photo, comme un souvenir. D'ailleurs, je ne fais pas tellement de différence entre les films et la vie, je dirais même que les films

---

m'aident à vivre, je crois qu'il y a peu de cinéastes dans ce cas-là, qui font des films comme des remèdes, comme des élixirs. Pourtant le public les utilise comme ça. Mais on a tendance à lui fournir des remèdes en contradiction avec le mal puisqu'il n'y a pas de système qui rétablirait un peu de justice. Le cinéma pourrait le faire, un peu.

[...] Le cinéma, c'est un laboratoire de vie, on y trouve tout, les rapports de production, les haines, les amours, les rapports parents-enfants, ouvriers-patrons, et en plus tout ça fonctionne pour la fabrication d'une marchandise artistique, c'est le paradis de l'étude de la vie tout en la vivant.

Ce que les gens ne filment jamais et qui est pourtant vrai, c'est leur besoin de faire du cinéma. Moi je ne sais pas pourquoi les gens font du cinéma, pour gagner leur vie peut-être, mais alors pourquoi un art plutôt qu'un autre ? Pour moi, j'ai une explication : je fais des films pour montrer des images de moi. Alors à des moments, il y a quelqu'un qui s'arrête, et qui s'intéresse à moi parce qu'il voit sa vie, une image de lui qui ne lui est pas présentée par lui mais par quelqu'un d'autre. Alors il s'arrête, il daigne regarder pendant trois secondes, c'est toujours ça de pris. Il y a vingt ans, quand on me demandait : "M. Godard, pourquoi vous faites des films ?", je ne savais pas quoi dire. Maintenant, je peux expliquer, un peu.»

Le Nouvel Observateur, 20/26 octobre 1980.

7. LE DEUXIÈME CERCLE

Le deuxième cercle serait celui des cinéastes qui ont bâti leur réputation après l'explosion de la Nouvelle Vague, soit avec la conviction d'en être les héritiers ou les continuateurs (c'est le cas d'André Téchiné, de Benoît Jacquot ou de Claude Miller qui a longtemps été l'assistant de Truffaut), soit en se positionnant délibérément dans un ailleurs qui renouait avec le meilleur du cinéma de la Qualité (Michel Deville, Claude Sautet, Bertrand Tavernier), soit en creusant avec une belle indifférence un sillon personnel : Maurice Pialat, Jacques Doillon, puis Philippe Garrel. Ou encore Alain Cavalier.

Après ses deux premiers longs métrages en prise directe sur l'actualité, **Alain Cavalier** a tourné des films plus commerciaux (*La Chamade* d'après Françoise Sagan en 1968), puis s'est éloigné du cinéma. Il reparaît en 1976 dans des productions fragiles (*Le Plein de super, Martin et Léa*), puis s'isole dans une œuvre de plus en plus personnelle. Il retrouve le succès public avec *Un étrange voyage* qui lui vaut le prix Louis Delluc en 1981. En 1986, il tourne *Thérèse*, une évocation de la sainte de Lisieux, dont l'humanité, l'intensité et le dépouillement en font un des plus grands films de la décennie. Cinéaste rare, exigeant jusqu'à l'angoisse (une angoisse qu'il exprime dans des films subjectifs, presque abstraits, comme *Ce répondeur ne prend pas de message* ou *Lettre d'Alain Cavalier*), il est au début des années quatre-vingt-dix le grand inclassable du cinéma français.

De *Passe ton bac d'abord* (1979) à *Van Gogh* (1991), l'œuvre tourmentée de **Maurice Pialat** domine également la décennie. Un film de Pialat, quel qu'il soit, c'est d'abord un filmage difficile, inquiet, pétri d'une rage qui laisse une trace dans le produit fini. Son cinéma est un cinéma d'affrontements, contre les éléments, contre la matière, contre Dieu (*Sous le soleil de Satan* en 1987), contre l'autre, dans le déchirement des structures familiales. Il y a du naturalisme dans le regard qu'il pose sur ses personnages, dans le soin avec lequel il les saisit dans un décor (dans une lumière ou une pénombre), un naturalisme qui est déjà l'affirmation d'un pessimisme mal accepté. Pialat, d'un film à l'autre, se bat contre lui-même. Furieusement. Son art est à ce prix.

Jacques Doillon, depuis *La Femme qui pleure* et *La Drôlesse* (tous deux sortis en 1979) travaille les relations extrêmes entre quelques individus, le couple, le lien parental, en poussant les personnages de ses fictions dans des situations d'affrontement qui sont pour lui des moments de communication privilégiés (*La Pirate* en 1984, *La Puritaine* en 1986), Doillon est aussi le cinéaste de l'adolescence inquiète (*La Fille de quinze ans* en 1989, *Le Petit Criminel* en 1990, *Le Jeune Werther* en 1993). Comme Pialat, il sait porter à l'incandescence les comédiens qu'il emploie.

Philippe Garrel est un cas singulier dans le cinéma français. Il a manié la caméra très jeune, tournant vite, dans les années soixante et soixante-dix, des films «*underground*» qui n'ont eu qu'une circulation confidentielle. Au début des années quatre-vingt (*L'Enfant secret* en

1983, *Liberté la nuit* en 1984), ses films produits avec des moyens restreints atteignent un public cinéphile sensible à la petite musique des sentiments, au mystère des relations et à la rigueur de l'écriture qu'il y découvre. En 1991, son *J'entends plus la guitare* représente la France au festival de Venise. En 1993, *La Naissance de l'amour* confirme que Garrel occupe désormais la place laissée vide par la disparition de Jean Eustache : il pose sur sa génération un regard passionné et désabusé, qui serait triste s'il n'était éclairé par l'évidence du bonheur de filmer.

André Téchiné, qui avait tourné en 1969 un premier film dans l'esprit de la Nouvelle Vague (*Paulina s'en va*), a vraiment débuté avec *Souvenirs d'en France*, un film largement autobiographique, suivi de grosses productions (*Barocco, Les Sœurs Brontë*) qui ne convainquent pas. C'est curieusement avec un moyen métrage à tout petit budget, *La Matiouette*, tourné en 1983 dans un bourg du Sud-Ouest, qu'il révèle une sensibilité aux êtres et au temps qu'on retrouve en 1994 dans *Les Roseaux sauvages*. **Benoît Jacquot** (*L'Assassin musicien* en 1976, *Les Enfants du placard* en 1977) se situe dans le même courant, avec un parti pris de dépouillement, d'austérité qu'on a qualifié de bressonnien. **Olivier Assayas** également, dont le premier film, *Désordre*, sorti en 1986, était l'étude élégante d'un groupe de jeunes désorientés.

Le cinéma de **Claude Miller** (il débute avec *La Meilleure Façon de marcher*, en 1976) est issu du rameau Truffaut de la Nouvelle Vague (il tourne en 1988 *La Petite Voleuse* d'après un scénario que Truffaut n'avait pas eu le temps de porter à l'écran). Miller révèle à la fois une grande sensibilité (dans *Dites-lui que je l'aime* en 1977) et un sens de la mise en scène efficace, à la Clouzot, dans deux films policiers, *Garde à vue* et *Mortelle Randonnée* (1981 et 1983). Il revient ensuite aux films sur l'adolescence avec *L'Effrontée* puis *La Petite Voleuse*, deux films qui révèlent le talent de la jeune Charlotte Gainsbourg.

Claude Sautet, mis en évidence par le succès des *Choses de la vie*, construit une œuvre classique, nouant les fils de scénarios impeccables faits de ces petits faits vrais qui passionnaient Stendhal. Il a le sens du lieu et du rite qui unit, il aime ses personnages comme Renoir aimait les siens.

Des *Choses* à *Un cœur en hiver* (1992), dix films en un quart de siècle, son œuvre s'impose comme une comédie humaine chargée d'affectivité. Il installe ses comédiens dans des lieux de vie intense, des ateliers ou ces brasseries saisies à l'heure du coup de feu qui se sont identifiées à sa manière. Cette œuvre a évolué au cours des années quatre-vingt vers un cinéma moins choral, moins social peut-être, dans lequel la difficulté à communiquer est au cœur de l'intrigue. Ses détracteurs — les inconditionnels de la Vague et du coup d'État de Truffaut — taxent son cinéma de «sociologique». Sautet est un cinéaste du contemporain, c'est vrai, mais il le saisit comme le lieu de conflits qui relèvent à la fois du politique et des sentiments (voir l'admirable *Mado*, en 1976, où il manifeste à la fois son génie de la construction scénaristique et ses capacités d'organisateur de l'espace, dans une dernière séquence tournée sous la pluie dont la rigueur est définitivement fascinante).

L'œuvre de **Michel Deville**, après les comédies brillantes de la fin des années soixante, évolue vers un cinéma plus grave : le *Dossier 51*, en 1978, puis *Eaux profondes* en 1981, manifestent une inquiétude tournée tant vers l'extérieur (la manipulation par un pouvoir de plus en plus insaisissable) que vers les profondeurs de l'inconscient. *Péril en la demeure* en 1985, *Le Paltoquet* en 1986, démontent avec un humour discret le jeu des apparences, et laissent sourdre une angoisse bien réelle. Deville cinéaste joue avec les images, ou avec les corps qu'il exalte et qu'il érotise comme il joue avec l'essence et l'existence des mots dans les volumes de poésie qu'il publie en marge de son activité d'homme de cinéma.

Bertrand Tavernier, après un galop d'essai en 1963 (il participe alors à deux films à sketches), commence sa vraie carrière en 1974, riche d'une exceptionnelle culture cinéphilique qu'il a construite sur deux passions : le cinéma américain et le cinéma français des années trente et quarante. Ce sont là les deux sources d'une œuvre très ouverte. Il fait appel pour ses premiers films (et jusqu'à *Coup de torchon* en 1981) d'abord à Jean Aurenche et Pierre Bost, puis à Jean Aurenche seul, qui écrivent avec lui des scénarios solidement charpentés et des dialogues sonores qu'il veut dans la continuité d'un cinéma d'avant la Nouvelle

Vague dont il affirme qu'il n'a pas démérité (Tavernier, historien du cinéma à ses heures, et président de l'Institut Lumière installé à Lyon dans la maison des frères fondateurs, paie de sa personne pour réhabiliter l'œuvre de cinéastes injustement décriés ou oubliés, Gilles Grangier ou Jean Devaivre). Tavernier, attendri à l'occasion (*Un dimanche à la campagne* en 1984), sarcastique plus souvent (*Coup de torchon, La Vie et rien d'autre* en 1989), conjugue avec bonheur le passé bourgeois ou colonial. *L 627*, en 1992, est un film contemporain, chronique réaliste et engagée du travail quotidien d'une brigade des «stups» filmée avec une belle énergie.

Bertrand Blier appartient à la même génération et a également commencé sa carrière par un faux départ dans les années soixante. En 1974, *Les Valseuses*, qu'il tourne d'après un roman qu'il avait écrit pendant sa traversée du désert, impose un ton outrancier délibérément provocant, et pousse, pour longtemps, Gérard Depardieu au premier rang des acteurs français. L'œuvre de Blier est inégale. C'est dans la dérive absurde qu'il est le plus à l'aise, de *Buffet froid*, son chef-d'œuvre en 1979, à *Notre Histoire* en 1984. En 1989, *Trop belle pour toi !* retrouve le ton et les vertiges des derniers films de Buñuel.

Alain Corneau était devenu autour de 1980 un bon faiseur de films policiers. L'effacement du genre (après *Le Môme* qu'il signe en 1986) lui impose une étonnante reconversion vers un cinéma hanté par la recherche d'une forme de pureté. *Nocturne indien* en 1989, puis *Tous les matins du monde* en 1991 jalonnent un itinéraire spirituel où l'art est la valeur ultime.

Il faudrait également faire une place à l'œuvre inégale de **René Allio**, venu du théâtre, qui a débuté avec une *Vieille dame indigne* aux échos brechtiens en 1965, et qui s'est voulu ensuite le cinéaste d'une mémoire populaire revendicatrice, dans *Les Camisards* en 1972, ou dans *Moi, Pierre Rivière...* en 1978. Et à celle de **René Féret** dont *La Communion solennelle* en 1977 avait été une passionnante reconstruction chorale d'une mémoire familiale que le cinéaste exploite depuis dans une série de films moins ambitieux dans leur construction.

4

8. Un troisième cercle ?

Le «jeune» cinéma français ne se constitue pas en cercle, mais en amas de matière riche, inorganisée, en effervescence continue. Près de trois cents metteurs en scène (ou metteuses en scènes : dans les premières années quatre-vingt-dix, la guerre des sexes mise en avant par les analystes féministes de la profession a perdu l'essentiel de son objet) ont tourné un premier film, et plus de la moitié de ces trois cents en a tourné un second — on admet que c'est ce passage au second film qui est le véritable brevet d'accès à la profession.

Il faut déjà agréger à ce pandémonium de cinéastes en activité des atypiques qui ont une carrière, soit erratique (Jean-François Stévenin, comédien qui a travaillé pour Truffaut, auteur libre et doué de *Passe-montagne* en 1978 et de *Double Messieurs* en 1986, voire Jacques Rozier actif depuis 1961, dont le dernier film, *Maine-Océan*, en 1986, témoignait d'une belle vitalité), soit spécialisée (le documentariste Raymond Depardon, chroniqueur attentif du présent depuis 1977, auteur aussi d'étranges fictions poétiques tournées en Afrique : *Empty Quarter, Une femme en Afrique*). Soit encore un cinéaste qui après une longue et fructueuse carrière vouée au cinéma de genre (la comédie issue du café-théâtre) se convertit au cinéma d'auteur : **Patrice Leconte**, après *Tandem* (en 1986), *Monsieur Hire* (en 1988) et surtout, le fascinant *Mari de la coiffeuse* en 1990. Ces errants du cinéma français sont peu nombreux. À la différence de ce qui se passait dans les années cinquante, le jeune cinéma est majoritairement un cinéma de jeunes.

On a cru pouvoir discerner quelques lignes de force qui structureraient si peu que ce soit ce magma. Discerner ici un cinéma de la fascination, là une nouvelle école du court métrage, quarante ans après. Cinéma de la fascination, celui de la galaxie «BBC» (Beineix-Besson-Carax) associant trois créateurs mégalomanes pour qui l'image, l'image brute telle que la publicité l'a valorisée, ou l'image-signe, telle que l'ont iconisée la mémoire du cinéma en général et l'écran de la Cinémathèque en particulier, prime sur le sens et s'érige en objet de culte. *Diva*, de Jean-Jacques

Beineix, en 1980, a ouvert la brèche où se sont engouffrés, dans la décennie qui a suivi, les films de Luc Besson (*Subway* en 1984, *Le Grand Bleu* en 1987), et les autres films de Beineix (*La Lune dans le caniveau*, en 1983, *37°2 le matin* en 1985), puis, peut-être plus érudit mais pas moins fasciné, *Mauvais Sang* de Léos Carax en 1986. L'effet n'a pas duré. L'échec des *Amants du Pont-Neuf* de Carax, en 1991, après un tournage plusieurs fois accidenté qui a tenu la profession en haleine pendant trois ans, l'éloignement de Beineix et la dérive américaine de Besson, qui a aligné ses dernières fictions frustes sur le modèle du film populaire hollywoodien (*Nikita*, *Léon*), ont fait éclater la bulle.

De même pour ce qui a paru être, pendant deux saisons, une génération issue de l'évidente renaissance du court métrage à la fin des années quatre-vingt, sous l'effet conjugué des mesures d'aide, de la boîte à écho fournie par plusieurs festivals spécialisés (Clermont-Ferrand, Brest, Grenoble, la Seine-Saint-Denis) et de la lucidité de quelques producteurs soucieux de fournir à une génération de cinéphiles impatients les moyens d'un galop d'essai pas trop coûteux (Alain Rocca, responsable des Productions Lazennec : «L'avantage du court, c'est que quand ça se passe mal, ça fait des dégâts humains, mais ça en reste là...»). C'est ainsi qu'on a vu apparaître dans le champ du long métrage des cinéastes effectivement lourds des médailles qu'ils avaient recueillies pour leurs films courts, les plus notoires étant François Dupeyron (*Drôle d'endroit pour une rencontre* en 1988), Éric Rochant (*Un monde sans pitié* en 1989), Christian Vincent (*La Discrète*, en 1990). Le premier pas franchi (ils ont tous trois réalisé trois films en 1994), chacun a évolué sur une ligne qui lui était propre.

Christian Vincent

«Quand on entre à l'IDHEC à vingt-quatre ans, on veut tous faire des films. Puis la réalité s'impose, on devient plus raisonnable, on s'aperçoit que ça n'est pas facile. J'en étais donc revenu à des ambitions plus modestes. J'avais fait un film de fin d'études en 1982, que je n'aimais pas du tout. Quand j'ai vu les rushes, au bout d'une semaine, j'étais effondré. J'avais tourné en mai, j'ai laissé mourir le film jusqu'en mars de l'année suivante. Je l'ai quand même terminé, parce qu'il fallait le faire. C'était à l'époque où on recommen-

---

çait à parler du court métrage. Le film a fait un ou deux festivals, puis il a eu un prix à Clermont, puis d'autres. À Villeurbanne, il a eu le prix du public : dix boîtes de pellicules, dont je ne savais que faire, mais ce fut déterminant pour la suite. Je ne pensais plus à réaliser des films, je faisais du montage et j'adorais ça. J'avais ces dix boîtes, je n'ai pas voulu les vendre, j'ai décidé de faire un nouveau court métrage. J'ai pu le tourner, ça a bien marché, il a eu des tas de prix.

Ensuite il y a eu un engrenage : on s'est trouvé dans un petit milieu un peu professionnel : on fréquente des gens qui ont le même âge que vous, tous veulent faire des films, on cherche la bonne idée, on attend... Je ne suis pas quelqu'un qui écrit facilement. À partir du moment où j'ai trouvé l'idée, le point de départ de ce qui devait devenir *La Discrète*, j'ai écrit une quarantaine de pages, et je me suis arrêté, j'ai tout laissé dormir pendant six mois. Il y a deux ans j'ai repris tout le travail avec un ami. En février 89, on a écrit un résumé d'une trentaine de pages pour mon producteur, Alain Rocca, à qui j'avais raconté l'histoire, il m'avait dit : "Formidable, on va tourner ça tout de suite". Il voulait me faire signer un contrat de suite, mais il lui fallait ce résumé.

J'ai pris mon tour à l'avance sur recettes. Je pensais qu'à partir du moment où je m'inscrivais, j'avais plusieurs mois devant moi. Pas du tout : c'était le début de la commission Françoise Giroud, ils m'ont dit que je devais rendre la version définitive dans les six semaines. Panique. J'avais écrit la moitié du scénario, il a fallu travailler de façon intensive. On a fini de taper dans la nuit qui a précédé le dépôt. C'était début avril 89. Le film est passé en plénière, et j'ai eu l'avance en juillet. Le tournage s'est fait en mars, avril et mai 1990.»

Positif, n° 357, novembre 1990.

Le jeune cinéma de 1994 est un cinéma sans fil directeur. Non carto-graphiable. Un cinéma qu'on dirait libre s'il n'était souvent d'un confor-misme confondant. Cinéma autobiographique, voire nombriliste pour nombre de cinéastes sans passé, qui n'ont qu'une adolescence ordinaire à raconter, au point qu'un premier ou second film qui tenterait de retrouver les règles du cinéma de genre — quitte à les subvertir dès que leur intrigue est en place, c'est le cas en 1994 de *Pas très catholique* de Tonie Marshall comme de *Regarde les hommes tomber* de Jacques Audiard — paraît apporter une bouffée d'air frais. Dans ces années-là, le metteur en scène débutant n'est pas toujours un innocent sans expérience. Tel peut s'être forgé une expérience à la télévision, ce mode de promotion est rare en France mais il existe (Jeanne Labrune, auteur exigeant de *De sable et de sang* en 1988 et de *Sans un cri* en 1992), telle autre au fil d'une carrière d'actrice (Brigitte Roüan, Nicole Garcia).

La suite serait une énumération fastidieuse, et assurément hasardeuse, un épandage de filmographies embryonnaires. Parions pourtant sur Arnaud Desplechin (*La Vie des morts*, moyen métrage, en 1989, et *La Sentinelle* en 1991), et sur quelques noms qui se sont inscrits, en 1993 et 1994, en haut de l'affiche : Laurence Ferreira-Barbosa (*Les Gens normaux n'ont rien d'exceptionnel*), Agnès Merlet (*Le Fils du requin*), Pascale Ferran (*Petits Arrangements avec les morts*). C'est de l'histoire encore chaude, mais le succès de ces films, qui ont par ailleurs en commun d'être des films de jeunes femmes, et qui n'ont pas été vraiment aidés par les grands réseaux de distribution, témoignent en faveur d'une belle vitalité de la génération montante.

BIBLIOGRAPHIE

On a beaucoup écrit sur le cinéma français, de l'extérieur (critiques, chroniqueurs et historiens) et de l'intérieur : les cinéastes et leurs collaborateurs, les acteurs parfois, ont été gros producteurs de texte. La bibliographie qui suit, sélective, a la prétention de rassembler des ouvrages nécessaires, et accessibles soit en librairie, soit dans les bibliothèques publiques spécialisées. Elle ne prend pas en compte les monographies qui se sont multipliées depuis les années cinquante, ni les livres d'entretiens ou de souvenirs qui sont souvent riches d'informations.

1. Cartographie et grandes perspectives

• Catalogues généraux

CHIRAT Raymond et ICART Roger, *Catalogue des films français de long métrage. Films de fiction 1919-1929*, Toulouse, Cinémathèque de Toulouse, 1984.
Présentation dans l'ordre alphabétique de 973 films sortis dans la période prise en compte, suivis de 82 titres d'«incertains» (titres mentionnés dans la presse corporative, qui n'ont jamais été tournés ou dont le tournage a été interrompu). Pour chaque film, Chirat propose un générique sommaire, avec les postes techniques, les comédiens et le nom ou l'emploi du personnage de fiction qu'ils incarnent. Comporte un index en fin de volume.

CHIRAT Raymond, *Catalogue des films français de long métrage. Films sonores de fiction 1929-1939*, Bruxelles, Cinémathèque royale de Belgique, 1975.
Même formule pour les 1305 titres de nos années trente. Pour l'histoire de l'histoire, il est piquant de constater que ce volume, chronologiquement le premier des Chirat, après des années de vains efforts en France, a trouvé son éditeur, institutionnel, en Belgique.

CHIRAT Raymond, *Catalogue des films français de long métrage. Films de fiction 1940-1950*, Luxembourg, Cinémathèque municipale de Luxembourg, 1981.
Publié comme le volume précédent par une cinémathèque amie, il prend en compte les 807 films de la période, et propose en annexe 22 titres de films victimes de la guerre, ou interrompus pour raisons financières dans les dernières années quarante.

SABRIA Jean-Charles, *Cinéma français. Les Années 50*, Paris, Economica/Centre Georges Pompidou, 1987.
La formule est la même que celle des Chirat (982 films de fiction français pris en compte, auxquels Sabria a ajouté 18 titres de films produits en Belgique, de docu-

mentaires d'auteur ou de films inédits ou inachevés), mais l'édition est plus luxueuse : génériques plus complets, et iconographie somptueuse (les Chirat ne sont pas illustrés).

• **Approche par firmes**

Collectif (sous la direction de Philippe d'HUGUES et Dominique MULLER), *Gaumont, 90 ans de cinéma*, Paris, Ramsay/Cinémathèque française, 1986.
Beau livre un peu trop évidemment soutenu par la firme à la marguerite, qui lui a imposé un point de vue exclusivement hagiographique.

Collectif (sous la direction de Jacques KERMABON), *Pathé. Premier empire du cinéma*, Paris, Centre Georges Pompidou, 1994.
Gros volume publié à l'occasion du centenaire du cinéma et de l'exposition Pathé du Centre Pompidou. Le point de vue de l'historien s'y exprime en toute liberté, y compris à propos des périodes délicates traversées par la firme. L'iconographie, luxueuse, est remarquable.

BOUSQUET Henri et REDI Riccardo, *Pathé frères. Les films de la production Pathé (1896-1914). Tome 1, 1896-1906*, Firenze, Quaderni di cinema, 1992.
Tentative conduite par deux historiens de reconstituer titre par titre l'énorme production Pathé de la haute époque. Une partie des films font l'objet d'un résumé ou d'un descriptif sommaire.

BOUSQUET Henri, *Catalogue Pathé des années 1896-1914*, deux volumes parus (1907, 1908, 1909 et 1910, 1911), Paris, Henri Bousquet, 1993 et 1994.
Bousquet continue seul la tâche de bénédictin commencée comme une coproduction franco-italienne. La méthode est la même, les descriptifs sont plus précis, de même que la datation : à partir de 1907, les sources sont plus abondantes. Le volume couvrant les années 1912, 1913 et 1914 est annoncé.

Collectif, *Éclair 1907-1918*, numéro spécial de la revue *1895*.
Ensemble d'études et de documents publié à l'occasion de la rétrospective Éclair organisée par les *Giornate del cinema muto* à Pordenone en 1992. À la même occasion, la revue italienne *Griffithiana* (n° 44/45) a publié un remarquable premier état de la filmographie Éclair.

2. Histoire institutionnelle et économique

LÉGLISE Paul, *Histoire de la politique du cinéma français. Le cinéma de la IIIe République*, Paris, Librairie générale de droit et de jurisprudence, 1970.

LÉGLISE Paul, *Histoire de la politique du cinéma français,* tome 2. *Entre deux républiques*, Paris, Filméditions, Pierre Lherminier, 1977.
Les deux volumes de Léglise (il est mort avant d'avoir terminé le troisième) ont été une date dans l'histoire du cinéma en France, en mettant pour la première fois l'accent sur les pesanteurs institutionnelles. Ils demeurent un instrument de travail indispensable.

BONNELL René, *Le Cinéma exploité,* Paris, Seuil, 1978.
Version condensée d'une thèse soutenue en 1976 devant un jury qui comptait Jean-Louis Bory et Jack Lang, le livre de Bonnell a été à la fois l'analyse et le procès du mode de production français de l'après-guerre. Il se terminait sur un appel à la démocratie culturelle.

FARCHY Joëlle, *Le Cinéma déchaîné. Mutation d'une industrie,* Paris, Presses du CNRS, 1992.
Une quinzaine d'années après Bonnell, une nouvelle approche socio-économique du cinéma au temps de la télévision souveraine, qui conclut, après un descriptif rigoureux des mécanismes en jeu, à la nécessité de l'action publique pour maintenir le cinéma comme habitude culturelle au début des années quatre-vingt-dix.

3. Histoire générale du cinéma

(ne sont pas mentionnées ici les histoires universelles du cinéma, dont celle de Georges Sadoul, qui comporte de précieux chapitres sur le cinéma français.)

Collectif (sous la direction de Pierre Guibbert), *Les Premiers Ans du cinéma français* (Actes du Ve colloque de l'Institut Jean Vigo), Perpignan, Institut Jean Vigo, 1985.
Une trentaine de communications de chercheurs français et étrangers qui ont commencé à baliser un espace jusque-là peu fréquenté. Daté, mais à ce titre important.

Collectif, *Le Cinéma français muet dans le monde* (Actes du symposium de la FIAF, Paris 1988), Perpignan, Institut Jean Vigo, 1989.
Une approche inhabituelle : le rayonnement du cinéma français hors de France et, à l'occasion, l'influence de modèles étrangers sur le cinéma français à travers 22 communications.

Collectif, *L'Année 1913 en France*, numéro spécial hors série de la revue *1895*, Paris, 1993.
De nouveau à l'occasion des *Giornate* de Pordenone, une tentative de coupe hori-

zontale du cinéma français juste avant l'effondrement de 1914. Tentative intéressante de description des infrastructures du cinéma français à la veille de la guerre.

FESCOURT Henri, *La Foi et Les Montagnes*, Paris, Paul Montel, 1959.
Un classique : de la plume d'un cinéaste actif de 1912 aux années quarante puis professeur à l'IDHEC, une chronique allègre plus qu'une véritable histoire d'un demi-siècle de cinéma en France. À lire avec plaisir, à utiliser avec prudence.

JEANCOLAS Jean-Pierre, *15 ans d'années trente. Le Cinéma des Français, 1929-1944*, Paris, Stock, 1983.
Approche socio-économique d'une période cruciale du cinéma français, soustendue par l'hypothèse que les codes définis au début des années trente ont créé un modèle dominant qui survivra à la défaite et à l'Occupation.

GARÇON François, *De Blum à Pétain*, Paris, Éditions du Cerf, 1984.
Le cinéma des années 1936 à 1944. Analyse idéologique, qui confronte le cinéma au discours général de l'époque tel que le transmettent les médias.

SICLIER Jacques, *La France de Pétain et son cinéma*, Paris, Henri Veyrier, 1981.
Chronique essentiellement descriptive du cinéma occupé.

BERTIN-MAGHIT Jean-Pierre, *Le Cinéma sous l'Occupation,* Paris, Olivier Orban, 1989.
Moins que des films, c'est des institutions et des hommes qu'il s'agit ici. L'ouvrage est fondé sur une recherche méthodique qui a mis à jour des sources inconnues.

PRÉDAL René, *Le Cinéma français depuis 1945*, Paris, Nathan, 1991. Réédition revue et largement augmentée sous le titre *50 ans de cinéma français*, Paris, Nathan, coll. « Réf-Poche », 1996.
Descriptif structuré comme un manuel scolaire de la deuxième moitié du premier siècle du cinéma. L'information est précise, banalisée par une approche strictement analytique.

SICLIER Jacques, *Le Cinéma français,* tome 1 : 1945-1968, tome 2 : 1968-1990, Paris, Ramsay, 1991.
Deux gros volumes richement illustrés, par un journaliste qui a été le témoin (le premier spectateur) des films qu'il décrit avec la précision du chroniqueur.

Collectif (sous la direction de Jean-Loup Passek), *D'un cinéma l'autre, notes sur le cinéma français des années cinquante,* Paris, Centre Georges Pompidou, 1988.
Publié à l'occasion d'un cycle de projections « années 50 » au centre Pompidou, c'est un recueil d'essais disparates sur une période mal aimée.

BARROT Olivier, *L'Écran français 1943-1953*, Paris, Les Éditeurs français réunis, 1979.
L'histoire numéro par numéro d'un hebdomadaire qui a fondé la cinéphilie au temps des premiers ciné-clubs de l'après-guerre. De nombreux articles importants y sont cités, parfois *in extenso*.

DE BAECQUE Antoine, *Histoire d'une revue, Les Cahiers du cinéma,* deux tomes, Paris, Cahiers du cinéma, 1991.
L'histoire de la revue fameuse, par un de ses rédacteurs, replacée dans les courants de quarante années d'histoire culturelle. Important.

JEANCOLAS Jean-Pierre, *Le Cinéma des français. La Vème République 1958-1978*, Paris, Stock, 1979.
Le titre est évidemment devenu abusif. La fin des années Giscard, et surtout les années Lang, justifieraient un tome 2. En 1978, l'ouvrage proposait une approche originale qui peut garder quelqu'intérêt. Sinon, pour mémoire…

DOIN Jean-Luc, *La Nouvelle Vague 25 ans après*, Paris, Éditions du Cerf, 1983.
Commémoratif. La génération de la Nouvelle Vague jugée par elle-même à travers une série d'entretiens prudents. Passionnant, à condition de ne consommer qu'avec une très longue cuillère.

MARIE Michel, *La Nouvelle Vague. Une école artistique*, Paris, Nathan, coll. « 128 », 1997.

AMENGUAL Barthélemy, *Du réalisme au cinéma*, Paris, Nathan, coll. « Réf-Poche », 1997. Un important recueil d'articles d'un des grands écrivains de cinéma.

4. Documents

DELLUC Louis, *Écrits cinématographiques*, quatre volumes, Paris, La Cinémathèque française, 1985-1990.
Fondamental, et pas seulement pour l'histoire du cinéma français. Lire Delluc comme on gravit une montagne, c'est, après l'effort, un observatoire unique sur l'après-première guerre.

EPSTEIN Jean, *Écrits sur le cinéma*, deux tomes, Paris, Seghers, 1974 et 1975.
Important, mais difficile. Nécessaire en tout cas à une approche fine de la cinéphilie et du cinéma des années vingt.

VIGO Jean, *Œuvre de cinéma*, Paris, La Cinémathèque française, 1985.
Précieux pour la seule connaissance du cinéaste. Ses films, et ses projets de films, avec documents et iconographie.

RENOIR Jean, *Écrits 1926-1971*, Paris, Belfond, 1974.
Parmi les livres signés Renoir, c'est le plus immédiatement utile à la connaissance de l'auteur de *Toni*. Bout à bout de textes, présentations de ses propres films ou chroniques (pas nécessairement sur le cinéma) du Front populaire, c'est un auto-portrait tout en notations fugaces du cinéaste en humaniste. La bibliographie Renoir comporte, en français, une bonne trentaine de titres.

BRESSON Robert, *Notes sur le cinématographe,* Paris, Gallimard, 1975.
Réflexions hautaines qui n'expliquent pas les films de Bresson : elles cheminent en air raréfié parallèlement à l'œuvre du cinéaste. Nécessaire, mais difficile.

TRUFFAUT François, *Correspondance*, Paris, Hatier, 1988.
Mieux qu'une autobiographie qu'il n'a pas eu le temps d'écrire, des lettres datées qui jalonnent son itinéraire intellectuel et sa relation au cinéma.

GODARD Jean-Luc, *Jean-Luc Godard par Jean-Luc Godard,* Paris, Cahiers du cinéma 1985.
Un dossier Godard qui a connu plusieurs éditions et en connaîtra peut-être d'autres. Documents sélectionnés par l'auteur sur lui-même, à lire et employer avec les précautions d'usage. Nécessaire, pas suffisant. S'agissant de Godard plus que de n'importe quel cinéaste, jamais le commentaire ne se substituera au film.

VARDA Agnès, *Varda par Agnès,* Paris, Cahiers du cinéma, 1994.
Autre forme d'autoportrait, autobiographie documentée (par des images autant que par des textes), point de vue manipulateur assumant en souriant la manipula-tion au nom de la singularité de l'être. Brillant, crépitant d'étincelles comme les meilleurs films d'Agnès.

INDEX DES FILMS CITÉS

Dans la même collection

Domaine : Cinéma image

Imprimé en France, par l'Imprimerie Hérissey, Évreux (Eure)
N° d'éditeur : 10115254 - VI - (14) - OSBS 80°
Dépôt légal : avril 2004 - N° d'imprimeur : 97136